Charles-É. Jean

365 Énigmes et devinettes

vol. 2

Un jeu chaque jour !

D1128204

Les Éditions Goélette

Couverture : Marjolaine Pageau

Infographie : Joannie McConnell et Geneviève Guertin

Conception : Charles-É. Jean

© Les Éditions Goélette inc.
1350, Marie-Victorin
St-Bruno-de-Montarville (Québec) CANADA, J3V 6B9
Téléphone : 450-653-1337
Télécopieur : 450-653-9924
www.editionsgoelette.com

Dépôts légaux :
Bibliothèque nationale et Archives du Québec
Bibliothèque nationale du Canada
Troisième trimestre 2010

Les Éditions Goélette bénéficient du soutien financier de la SODEC
pour son programme d'aide à l'édition et à la promotion. Nous re-
mercions le gouvernement du Québec de l'aide financière accordée
par l'entremise du Programme de crédit d'impôt pour l'édition de
livres, administré par la SODEC.

Imprimé au Canada

ISBN : 978-2-89638-775-5

DU MÊME AUTEUR :

– *Album-souvenir du centenaire de Saint-Mathieu*, en collaboration, 1966.

– *Des activités mathématiques pour une classe*, Éditions du Losange, 1973.

– *Mini-jeux magiques*, Éditions du Losange, 1974.

– *Distractions mathématiques*, Éditions de l'Homme, 1977.

– *Initiation aux carrés magiques*, ministère de l'Éducation, 1981.

– *Évasions calculées*, Modulo Éditeur, 1982.

– *Enjeux de mots*, Éditions Éditeq, 1986.

– *Au jeu !*, GRMS, 1988.

– *Au royaume des chiffres*, Éditions Éditeq, 1989.

– *Remue-méninges*, Éditions de la Paix, 1994.

– *Jouons avec Beppo 3, en coll. avec l'équipe des Débrouillards*, Éditions Héritage, 1996.

– *Drôles d'énigmes*, Éditions de la Paix, 1996.

– *Jouons avec Beppo 4, en coll. avec l'équipe des Débrouillards*, Éditions Héritage, 1997.

– *Question de rire*, Éditions de la Paix, 2000.

– *Mathémots*, Éditions Récréomath, 2009.

– *Débrouilleries*, Éditions Récréomath, 2010.

– 25 problèmes dans *365 énigmes et devinettes*, Édition Goélette, 2008.

Récréomath, site internet de mathématiques récréatives, 2000.

Ce site contient une banque de plus de 4000 problèmes, énigmes et jeux. On y trouve un dictionnaire de mathématiques récréatives, un lexique de résolution de problèmes et un aide-mémoire de notions mathématiques élémentaires. Quatre livres de problèmes récréatifs y sont édités.

www.recreomath.qc.ca

AVANT-PROPOS

Le proverbe peut proclamer :
« À chaque jour suffit sa peine. »

Moi, j'ose au lecteur souhaiter :
« À chaque jour, ce livre vous fera veine. »

Chaque jour, une énigme pour vous
est là au rendez-vous
avec congé mobile
en une année bissextile.

Énigmes et devinettes
et toutes ces amusettes
invitent votre logique
à jouer avec le numérique.

Bonne année !

Charles-É. Jean

1 >> BECS NON ÉQUITABLES

Durant la réception du jour de l'An, grand-mère La Becquée a donné deux becs à un petit-enfant, trois becs à un deuxième, quatre becs à un troisième et ainsi de suite en donnant un bec de plus par petit-enfant. À la fin, grand-père Clairvoyant lui dit :

– Si tu avais donné six becs à chacun, au total tu aurais donné le même nombre de becs. Ainsi tu aurais été plus équitable.

Combien de petits-enfants étaient présents ?

2 >> De table en table

Dans le boisé, derrière la grange, Julie a tracé des sentiers. Six tables de pique-nique ont été installées. Julie demande à son petit frère de venir arpenter les sentiers avec elle. Ils doivent partir d'une table pour s'arrêter à une autre.

De quelle table Julie et son frère devront-ils partir pour parcourir tous les sentiers une seule fois ?

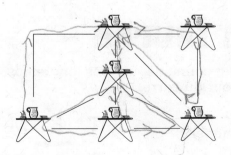

3 >> TOUT EN RACINE

Il existe des familles Racine. Les arbres ont des racines ;
les dents ont des racines ; les cheveux ont des racines.

Les nombres ont-ils des racines ?

5^2 racines carrés

$\sqrt{16}$

4 >> Carte voilée

Huit amis partent en excursion.

Le 10 de carreau accompagne le 7 de trèfle.
Le 8 de cœur accompagne le 8 de pique.
Le 5 de pique accompagne le 10 de cœur.
Le 8 de trèfle accompagne une carte voilée.

Qui accompagne le 8 de trèfle ?

4 c carreau

5 >> On tourne

Son métier est connu depuis très longtemps.
Il tourne autour du carré.

Quel est ce métier ?

Géomètre

```
  T   E   M
  R  [   ]  O
  E   G   E
```

6 >> LE JOUR DES ROIS

Aujourd'hui, c'est la fête de l'Épiphanie. Trois Rois mages, Gaspard, Melchior et Balthazar, ont apporté de l'or, de l'encens et de la myrrhe au petit Jésus.

1. La besace de Balthazar ne contient pas d'encens.

2. Le frère de celui qui a apporté la myrrhe est aussi mage.

3. Gaspard a donné son encens à un autre mage avant de partir.

4. Balthazar n'a pas de frère.

Qui a apporté l'or ?

7 >> Boules en croix

Arthur a numéroté six boules de 4 à 9. Il désire en placer cinq sur les cercles de cette croix.

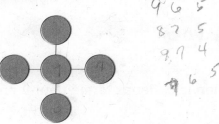

Placez cinq des six boules de façon que la somme des numéros soit 20 dans chacune des deux rangées.

8 ›› Frappe à bord

Quand je dors à mon goût,
je ne cogne pas de clous.
J'ai la tête dure
comme toute ferrure.
Je sonne les heures
sans douceur.

Qui suis-je ?

9 ›› Chats contre cadenas

Quatre chats bien sages sont assis d'un côté ; de l'autre, il y a deux cadenas en positions différentes. On peut y lire une addition. Chacun des trois symboles représente un chiffre différent. Deux symboles accolés forment un nombre de deux chiffres.

Combien le cadenas fermé peut-il prendre de valeurs ?

10 >> LES CŒURS D'OLIVIA

Olivia a dessiné 15 rangées de cœurs. Il y a un cœur de plus d'une rangée à l'autre. Voici les cinq premières rangées :

Son petit frère Léo barbouille les cœurs de rang pair dans chacune des 15 rangées.

Combien Léo a-t-il barbouillé de cœurs ?

11 >> Canards heureux

Mon oncle Anselme est fier de ses canards qui se promènent en caquetant dans la cour. Il confie à sa nièce :

— Si je prenais deux fois le nombre de mes canards plus 5, j'obtiendrais un certain nombre. Si mon jumeau prenait trois fois le nombre de mes canards moins 5, il obtiendrait le même nombre.

Combien y a-t-il de canards dans la cour ?

12 >> CITRONS QUI ROULENT

Danick prend sept citrons. Il les dispose comme ci-après de façon à obtenir trois rangées de trois citrons chacune.

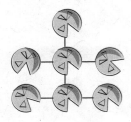

Déplacez un citron de façon à avoir quatre rangées de trois citrons chacune.

13 >> Pâques ou poules

Laurin a acheté deux douzaines d'œufs plus un œuf. Il vient de partager ses œufs avec Laurette. Celle-ci a eu quatre œufs de plus que lui.

Laurin a-t-il acheté des œufs de Pâques ou des œufs de poules ?

14 >> Tâches routinières

Pendant que monsieur B tond la pelouse, madame F fait les courses.

Pendant que monsieur G lit un roman, madame K écrit un courriel.

Pendant que monsieur P fait des mots croisés, sa femme prépare sa déclaration d'impôt.

Comment s'appelle la femme de monsieur P ?

15 >> LES TRIOS D'ANDRÉE

Neuf enfants portent des gilets numérotés de 1 à 9. Andrée a la tâche de faire des groupes de trois enfants. Pour chaque groupe, la somme des numéros des gilets doit être 15. Au fur et à mesure qu'un groupe est formé, les enfants reprennent leur place. L'enfant qui porte le gilet numéro 4 n'est apparu que dans un seul groupe, puisque son père est venu le chercher.

Combien Andrée a-t-elle pu former de groupes différents de trois enfants ?

16 >> Fille de Caleb

Émilie Bordeleau écrit le mot FILLE. D'une ligne à l'autre, elle change deux lettres à partir du mot précédent.

F	I	L	L	E
B	I	L	L	L
C	A	L	E	B

Formez deux mots de cinq lettres qui permettront de passer de FILLE à CALEB.

17 » Chats au repos

Aglaé a disposé cinq tapis comme ci-après. Elle a donné un numéro à ses cinq petits chats : 2, 3, 4, 6 et 9.

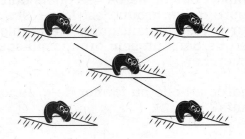

Posez chacun des chats sur un tapis de façon que le produit des numéros soit 72 dans chaque rangée de trois chats.

18 » Les Bocaux de Gaston

Gaston a numéroté quatre bocaux et les a placés en une rangée.

Insérez un signe +, -, × ou ÷ entre les bocaux de façon que le résultat soit 7.

19 >> LA FANTAISIE DE DAVID

D'habitude, David écrit son prénom sur les pochettes de ses disques. Aujourd'hui, il l'écrit sous la forme d'une addition comme ci-après. Chacune des quatre lettres représente un chiffre différent. Toutefois, aucune lettre ne vaut 0 ou 1.

$$\begin{array}{r} D\,A \\ +\ V \\ \hline I\,D \end{array}$$

Quelle est la plus grande valeur de ID ?

20 >> Roulis sur table

Élisée sort de ses poches deux pièces de monnaie de même valeur. Il en dépose une sur la table. Il fait tourner l'autre autour de la première qui ne bouge pas.

Combien la deuxième pièce doit-elle faire de tours pour contourner entièrement la première pièce ?

21 >> CARTES D'ÉNIGMES

Élise et Louise ont préparé des cartes sur lesquelles elles ont écrit des énigmes. Élise dit :

– Si tu me donnais trois de tes cartes, j'en aurais autant que toi.

Louise réplique :
– Si tu me donnais trois de tes cartes, j'en aurais deux fois plus que toi.

Combien Élise et Louise ont-elles de cartes ensemble ?

22 >> Avant le dîner

Six personnes sont assises à égale distance les unes des autres autour d'une table ronde. Chacune de ces personnes doit donner la main à une autre à la condition qu'aucun bras ne se croise. Voici un exemple de poignées de mains sans qu'il y ait croisement :

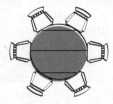

Combien y a-t-il d'autres façons pour les six personnes de se donner la main sans qu'aucun bras ne se croise ?

23 >> Se hâter lentement

Selon Jules Renard, le cerveau fait sablier avec le cœur.

Quel est le cerveau qui, retenu par une ficelle, s'envole lentement dans les airs ?

24 >> LAPINS BOTTÉS

Trois lapins gonflés d'énergie font une course.
Chacun porte des bottes.

Lapins : Jaune-Œil, Orange-Œil, Rouge-Œil
Bottes : d'armée, de pompier, de ville

1. Rouge-Œil n'est pas arrivé le premier et
   n'aime pas porter des bottes d'armée.
2. Celui qui est arrivé en troisième ne portait pas
   des bottes de pompier.
3. Au début de la course, Orange-Œil s'est
   moqué de celui qui portait des bottes d'armée.
4. Celui qui portait des bottes de ville est
   arrivé le premier.

Quelles bottes chaque lapin portait-il et en quelle position
est-il arrivé dans la course ?

Lapins	Jaune-Œil	Orange-Œil	Rouge-Œil
Bottes			
Positions			

25 >> On monte d'une octave

Octave a découvert une disposition particulière de nombres qui aboutit à des 8.

$$9 \times 9 + 7 = 88$$
$$98 \times 9 + 6 = 888$$
$$987 \times 9 + 5 = 8888$$
$$9876 \times 9 + 4 = 88\ 888$$

En vous basant sur ces résultats, trouvez à quelle expression correspond 88 888 888.

26 >> Les Lettres de Charlotte

Charlotte a découvert un nombre de cinq lettres qui est la somme de deux nombres de quatre lettres. Les deux cases grises doivent contenir la même lettre.

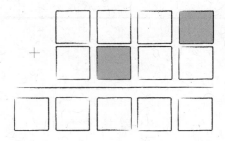

Quel est le nombre de Charlotte ?

27 ›› Stalles bien rangées

Pour ses chevaux, Évelyne a fait construire six stalles disposées comme ci-après. Chacun des chevaux porte un numéro de 002 à 007. Les chevaux doivent être placés de façon que la somme des numéros soit 12 dans chaque rangée de trois stalles.

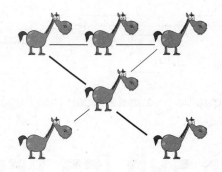

Attribuez une stalle à chacun des chevaux.

28 ›› Pas dans la cuisine

Généreux est propriétaire d'un bar. Parfois, en fin de soirée, il y a du grabuge. Trop de clients se présentent à la porte et veulent entrer.

Quelle sorte d'armoire Généreux peut-il installer à l'entrée de son bar pour calmer certains esprits et éviter le grabuge ?

29 >> LES JETONS DE TOMMY

Tommy découpe sept jetons et les numérote de 1 à 7. Il prend quatre jetons dont la somme des numéros est 19 et les dépose ensuite dans les cases du tableau.

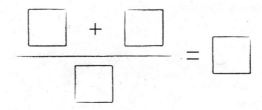

Disposez ces quatre jetons de façon que l'égalité soit vraie.

30 >> On suit les flèches

Partez de la case marquée DÉBUT. Suivez les flèches et faites les opérations indiquées. Quand vous atteignez le carré du centre, répondez à la question et choisissez une des deux voies selon la réponse. À la fin, vous trouverez un nombre.

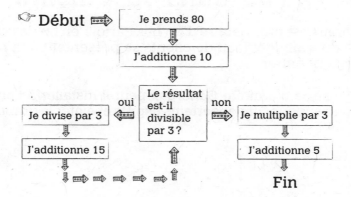

Quelle est la différence entre le nombre du début et celui de la fin?

31 >> RENARDS COLORÉS

Dans le champ du père Pintal, Yves aperçoit deux rangées de renards. Chacune des rangées est composée de 45 renards qui parlent avec leur voisin respectif. Quand Yves les voit si indisciplinés, il va chercher son pistolet à peinture et tire. Dans une rangée, le 3e, le 6e, le 9e, le 12e et ainsi de suite sont colorés. Dans l'autre rangée, le 5e, le 10e, le 15e, le 20e et ainsi de suite le sont. De plus, chaque fois qu'un renard est coloré, son voisin de l'autre rangée reçoit de la peinture. Par exemple, comme le 3e renard de la première rangée est coloré, le 3e de l'autre rangée l'est aussi.

Combien de renards sont colorés?

32 >> Les moutons d'Aurélie

Après avoir compté des moutons une partie de la nuit, Aurélie se distrait en repérant les carrés de toute grandeur dans une grille 3 × 3. Elle compte neuf carrés 1 × 1, quatre carrés 2 × 2 et un carré 3 × 3, soit en tout 14 carrés.

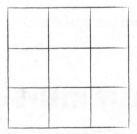

Combien peut-on compter de carrés de toute grandeur dans une grille 4 × 4?

33 >> DIVERSION

Raoul a écrit 5 comme ci-après au moyen de cinq segments.
Il dit à son ami :

– Sans déplacer un segment et sans utiliser de crayon,
  tu dois faire en sorte que je puisse lire 2.

Comment l'ami pourra-t-il s'y prendre ?

34 >> Grains de beauté

Une mère a sept enfants. Chaque enfant montre fièrement
12 étoiles sur le bras gauche et 12 étoiles sur le bras droit.
Chaque étoile est composée de 60 grains de beauté.

Comment s'appellent les enfants ?

35 >> Julien multiplie

Julien découpe cinq jetons et écrit sur chacun un nombre :
2, 3, 6, 7 et 9. Il prend deux jetons à la fois et multiplie les
nombres qui y apparaissent. Il fait toutes les multiplications possibles.

Combien peut-on compter de résultats différents ?

36 » ON Y GOÛTE

Les riches y passent leur vie.
Les pauvres passent devant avec envie.
L'un est ancré dans la terre.
L'autre est presque dentaire.
Pourtant, tout le monde en a un.
Les gourmets en usent plus que les autres.

Qui est-il ?

37 » Clés suspendues

Pour son travail, Antonio a besoin de 6 trousseaux de clés.
Il les accroche sur 6 crochets disposés comme ci-après.
Hier, il est parti avec le trousseau placé sur le crochet
supérieur. Celui-ci contient 10 clés. Les autres trousseaux
contiennent respectivement 11, 12, 13, 14 et 15 clés.

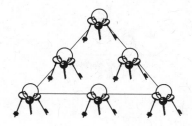

Replacez le trousseau de 10 clés à l'endroit où il était.
Disposez les 5 autres de façon qu'il y ait 37 clés sur chacun
des côtés du triangle.

38 >> Coupe à froid

Chez un poisson, l'arête est un os. Sur un dé, une arête est une ligne qui sépare deux faces. Elle est comme la ligne qui est à la rencontre de deux murs ou à la rencontre d'un plafond et d'un mur. Aurélie a appris à l'école qu'un dé a 12 arêtes. Elle met un dé sur la table et le coupe horizontalement en deux parties.

Combien chacune des parties a-t-elle d'arêtes ?

39 >> Triple Hermas

Hermas a écrit l'addition suivante.
Chaque lettre représente un chiffre différent.

$$
\begin{array}{r}
H \\
+ \quad H \\
+\, H\,H \\
\hline
K\,H
\end{array}
$$

Quelle est la valeur de KH ?

40 >> EN ZIGZAG

Louis-Alexandre découpe 16 jetons. Sur chacun, il écrit une lettre. Puis il assemble les jetons en un carré comme ci-après. On peut y lire des mots en enchaînant des lettres adjacentes horizontalement, verticalement ou diagonalement dans n'importe quel sens. Par exemple, on peut lire VARECH.

Trouvez cinq mots de cinq lettres.

41 >> Les pruneaux de Léontine

Madame Léontine a acheté un sac de pruneaux.

— Si je distribue six pruneaux, dit-elle, il me reste les trois quarts de ce que j'avais.

Combien madame Léontine a-t-elle acheté de pruneaux ?

42 >> L'assemblage de Michel

Michel découpe cinq petits carrés de même grandeur. Il forme les six configurations suivantes en assemblant les carrés côté par côté :

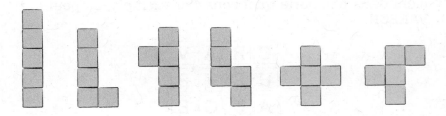

Toujours avec cinq carrés, trouvez trois autres configurations différentes.

43 >> Au centre du village

De la tête aux pieds,
tout par Luc est réparé.
Comme le disait tante Élène :
« C'est du travail de longue alène. »
Son métier en voie de disparition,
chacun reprise ses bottillons.

Quel est le métier de Luc ?

44 >> OISEAUX DE BASSE-COUR

Trois frères ont décidé de faire quelque chose dans la basse-cour. Trois phrases le confirment.

Sujets : Bruno, Louis, Rico
Verbes : visite, observe, nourrit
Compléments : lapins, poules, dindes

1. Rico n'observe pas.
2. Louis n'a pas de poules.
3. Rico ne s'occupe pas des lapins.
4. L'un d'eux nourrit les lapins, mais ce n'est pas Louis.

Reconstituez les trois phrases en utilisant chaque sujet, chaque verbe et chaque complément une seule fois.

Sujets	Bruno	Louis	Rico
Verbes			
Compléments			

45 >> Le truc de Léa

Léa dit à Léonie :

– Prends trois nombres qui se suivent.
Additionne ces trois nombres.
Multiplie le résultat par 2.
Soustrais 5.
Soustrais le plus petit nombre.
Donne-moi ton résultat.
Je te donnerai les trois nombres que tu as choisis.

À partir du résultat, comment s'y prendra Léa pour deviner cette suite de trois nombres ?

46 ›› La santé de Natacha

Natacha est en bonne santé ; elle ne fait pas la moue. Elle a préparé une grille 3 × 3 dans laquelle neuf lettres doivent apparaître. Elle veut former des mots comme dans une grille de mots croisés.

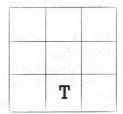

Remplissez cette grille en utilisant chacune des lettres de SANTÉ et de MOUE. Le T est déjà à la bonne place.

47 ›› Le triangle d'Églantine

Églantine a dessiné la figure ci-après. Dans les six cases, elle veut écrire les nombres de 1 à 6. À l'intérieur de chacun des trois petits triangles, elle a indiqué la somme des nombres qui devraient apparaître dans les trois cases des sommets.

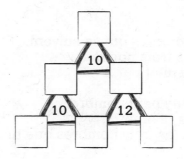

Disposez chacun des nombres de 1 à 6 dans les cases.

48 >> BROUHAHA

Le téléphone sonne sans arrêt.
Les courriels se déchaînent.
Un cellulaire claquette comme la cigogne ;
un autre trompette comme l'aigle.

Sur quelle partie du corps mange-t-on quand on le fait sans s'asseoir ?

49 >> L'énigme de la Bête

Après un film où on parlait du nombre de la Bête, Célia a écrit l'addition ci-après. Chaque lettre représente un chiffre différent. Dans de cas-ci, G vaut 3, et N ne vaut pas 9.

$$
\begin{array}{r}
E\ N\ I \\
+\ G\ M\ E \\
\hline
6\ 6\ 6
\end{array}
$$

Quelle est la valeur de ÉNIGME ?

50 ›› On chatte

Dans un coin de l'animalerie, une table circulaire a été installée. Au centre trône un pot de fleurs en épis ressemblant à la queue d'un chat. Dix chats sont en train de prendre un repas. Ils sont numérotés de 1 à 10 et placés en ordre numérique à égale distance les uns des autres.

Quel est le numéro du chat qui peut voir le 3 en regardant par-dessus le pot de fleurs ?

51 ›› Voyage gratuit

Dans un classeur, Éliane a 199 dossiers numérotés de 1 à 199. Sa patronne lui demande d'envoyer un courriel de remerciements à chaque personne dont le numéro est divisible par 3. Lorsque le numéro contient le chiffre 5, Éliane doit annoncer à la personne qu'elle est inscrite à un concours. Un voyage dans les Antilles peut être gagné.

Combien de personnes seront inscrites au concours ?

52 >> LES CARRÉS D'ALFRED

Alfred a écrit 8 en joignant 13 petits carrés comme sur le cadran d'une montre à affichage numérique. Il suit ce modèle pour écrire les lettres qu'il est possible de former. Il écrit un mot de quatre lettres ayant 7, 9, 11 et 12 carrés, mais pas nécessairement dans cet ordre.

Trouvez un mot de quatre lettres qui s'enfonce.

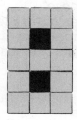

53 >> On brûle

Mon premier commence avec cheveu.
Mon deuxième commence avec migraine.
Mon troisième commence avec néant.

Autrefois, on voyait mon tout sur toutes les maisons.

Qui suis-je ?

54 >> Préférences géométriques

Chacune des trois personnes préfère un triangle et un quadrilatère.

Prénoms : Christian, Francine, Lorraine
Triangles : isocèle, scalène, équilatéral
Quadrilatères : parallélogramme, losange, trapèze

1. Christian n'aime pas le triangle isocèle.
2. La personne qui préfère le triangle équilatéral n'a jamais dessiné un trapèze.
3. Lorraine a des préjugés contre le trapèze.
4. C'est Christian ou Francine qui aime le parallélogramme.
5. La personne qui préfère le triangle scalène préfère aussi le losange.

Quelles sont les figures géométriques préférées de chaque personne ?

Prénoms	Christian	Francine	Lorraine
Triangles			
Quadrilatères			

55 >> Le Spectacle de Raoul

En pensant au dernier spectacle de magie qu'il a vu, Raoul a écrit huit nombres dans cette grille.

10	3	8
5	7	9
6	?	4

Quel est le nombre qui devrait logiquement remplacer le point d'interrogation ?

56 >> On noue

Je suis toujours en paire
le plus souvent sur terre.
Les lacets aiment nouer
pour bien m'attacher.
On me ligote ;
on vous le chuchote.

Qui suis-je ?

57 >> Touristes matinaux

Six autocars sont disposés comme ci-après. Quelques
touristes, parmi les plus rapides, sont déjà arrivés. On
compte respectivement deux, quatre, cinq, six, sept et neuf
touristes dans les autocars. Cela fait 11 touristes dans
chaque rangée de 2 ou de 3 autocars.

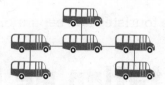

Attribuez à chaque autocar le nombre de touristes qu'il
contient.

58 >> TOUT UN CONTRASTE

À l'école, deuxième je me ramasse.
Pourtant, je suis premier de classe.
Dernier à supporter un échec,
je suis aussi le dernier du Québec.

Qui suis-je ?

59 >> LES CURE-DENTS DE CYBELLE

Cybelle a placé sur la table trois boîtes de cure-dents. La boîte B contient trois fois plus de cure-dents que la A. La C contient cinq fois moins de cure-dents que la B. Il y a en tout 69 cure-dents.

Combien y a-t-il de cure-dents dans chaque boîte ?

60 >> Place à l'autocar

Un autocar de 44 places est parti de Québec pour se rendre à Montréal. Il est plein. Des touristes espagnols occupent le tiers des sièges.

Combien y a-t-il de touristes non espagnols dans l'autocar ?

61 >> Récitation de Noémie

Noémie a participé à un concours où il fallait réciter les premières décimales de π. C'est elle qui en a donné le plus grand nombre. Elle a gagné 44 disques compacts. Une série de boîtes contient cinq disques chacune ; l'autre série, huit disques chacune.

Combien Noémie a-t-elle gagné de boîtes de disques compacts ?

62 >> ANDRÉE DÉCOUPE

Andrée découpe deux carrés. Dans l'un, elle trace une diagonale et obtient deux triangles rectangles.

Assemblez les trois pièces de façon que la nouvelle figure ait six côtés.

63 >> Le cube d'Édouard

Édouard sort son jeu de cubes sur lesquels apparaissent des lettres. Il choisit les cinq cubes suivants :

Avec eux, il peut composer trois mots de cinq lettres.

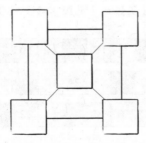

Placez les cubes sur les cases de façon qu'on puisse lire les trois mots en suivant les lignes.

64 >> DES FILLES EN OR

Tristan a deux filles en or. Aujourd'hui, le 5 mars, l'aînée fête son 12e anniversaire. La cadette fêtera son 10e anniversaire dans 64 jours.

Quelle est la date de naissance de la cadette?

65 >> Clous en plus

Sabin a utilisé des clous pour écrire cette égalité. On peut lire : 5 + 2 = 4, ce qui est faux.

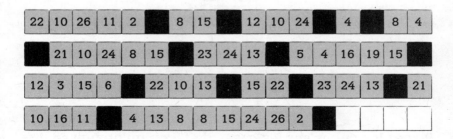

Déplacez deux clous de façon que l'égalité soit vraie.

66 >> Histoire de poulailler

Aurélie a traduit un proverbe espagnol en nombres. Les mots sont séparés par des cases noires. Chaque lettre de l'alphabet correspond à un nombre. Cinq indices sont donnés : L = 8, O = 10, E = 15, N = 16 et T = 22.

22	10	26	11	2	■	8	15	■	12	10	24	■	4	■	8	4
■	21	10	24	8	15	■	23	24	13	■	5	4	16	19	15	■
12	3	15	6	■	22	10	13	■	15	22	■	23	24	13	■	21
10	16	11	■	4	13	8	8	15	24	26	2	■				

Déchiffrez la phrase.

67 ›› Casiers en ligne

Alice, Bruno, Carol et Diane ont chacun un casier dans le long corridor. Chaque casier de droite contient trois livres de plus que le casier de gauche. Il y a en tout 38 livres.

Combien y a-t-il de livres dans chaque casier ?

68 ›› Fuseau horaire

Actuellement, il est 17 h 22 à Montréal et 16 h 22 à Chicago. Dans certains États ou pays, il y a un mois qui est le plus long de l'année.

Quel est ce mois ?

69 ›› LE CADENAS DE FLAVIE

Flavie a écrit les deux additions ci-après dans lesquelles chacun des quatre objets représente un chiffre différent. Par exemple, ✉ = 3. Deux objets accolés forment un nombre de deux chiffres.

$$📖 ✉ + ✉ ☎ = ☎ 🔒$$

$$📖 + 📖 = ☎$$

Quelle est la valeur du cadenas ?

70 >> PANIER D'ORANGES

Au lieu de partir dans un pays chaud cet hiver, Frédéric a préféré acheter deux douzaines d'oranges. Cela lui a coûté 84 écus et 3 oranges.

Combien coûte une douzaine d'oranges?

71 >> Le feutre de Garnier

Garnier a écrit cinq 3 au crayon feutre. Il a préparé des signes + et ×.

$$3 \quad 3 \quad 3 \quad 3 \quad 3$$

Insérez des signes + ou × entre les 3 de façon que le résultat soit 45.

72 >> Les allumettes d'Émile

Émile a assemblé huit allumettes. Il a représenté deux carrés. Les voici:

Déplacez deux allumettes de façon à former trois triangles.

73 >> LAPINS PROLIFIQUES

Un couple de lapins met au monde ses premiers rejetons en janvier. Par la suite, chaque mois, le nombre de rejetons est le double de celui du mois précédent. Quand ils naissent, les jeunes lapins sont placés dans la grange du père Timothée. À la fin du mois, ils sont expédiés dans la nature. La progéniture du couple au mois de juin remplit la grange.

L'année suivante, un autre couple s'associe au premier. Il produit le même nombre de rejetons qui sont traités de la même façon.

En quel mois de cette deuxième année la progéniture des deux couples pourra-t-elle remplir la grange ?

74 >> Mot souterrain

Ma première lettre est dans LIME et non dans PLIS.
Ma deuxième lettre est dans MONT et non dans METS.
Ma troisième lettre est dans PIRE et non dans TRES.
Ma quatrième lettre est dans MISE et non dans MAIN.

Mon tout marque le temps.

Qui suis-je ?

75 >> Jumeaux

Yvon et sa jumelle Yvonne écrivent les chiffres avec des cure-dents comme ci-après :

Trouvez 2 nombres dont la somme est 22 et qui utilisent 14 cure-dents.

76 >> Poule à Simon

Simon aime les œufs à la coque. Il écrit le mot POULE. D'une ligne à l'autre, il change deux lettres à partir du mot précédent.

P	O	U	L	E
S	I	M	O	N

Formez deux mots de cinq lettres qui permettront de passer de POULE à SIMON.

77 >> Ciel étoilé

La fée des Étoiles se promène dans le ciel. Elle y a repéré huit étoiles disposées comme ci-après. Elle leur a injecté des tonnes d'énergie verte. Les étoiles en ont reçu respectivement 1, 2, 3, 4, 5, 6, 7 et 8 tonnes ; celle du coin inférieur gauche, 8 tonnes.

Attribuez à chaque étoile, autre que celle du coin, son quota d'énergie de façon qu'il y ait 14 tonnes par rangée de trois étoiles.

78 >> Cachette

À son école, Élika vient de lancer un petit journal jugé incolore et insipide par les autres élèves. Dès qu'elle rentre à la maison, elle va se réfugier dans le potager de son père pour y cacher sa déception. Celui-ci est en train de préparer le repas.

Quelle sorte de feuilles doit-il éviter de servir à Élika au souper ?

79 >> COUSIN MARCUS

Marc s'amuse à grouper deux par deux les lettres de son prénom. Il a trouvé six groupes : (M, A), (M, R), (M, C), (A, R), (A, C) et (R, C). Il rencontre son cousin Marcus.

Combien Marcus pourra-t-il faire de groupes de deux lettres avec les lettres de son prénom ?

80 >> DRÔLE DE SEMAINE

Nous sommes le mardi 21 mars d'une année non bissextile. Il y a eu trois jeudis depuis le début de ce mois : les 2, 9 et 16 mars.

Dans combien de temps aura lieu la semaine des quatre jeudis ?

81 >> Marché aux puces

Trois amis calculent les montants qu'ils ont recueillis durant leur vente de garage.

• Denise, Flore et Gémond ont ensemble 68 pistoles.
• Flore a 2 pistoles de plus que Denise.
• Denise a 21 pistoles de plus que Gémond.

Quel est l'avoir de chacun ?

82 >> Les triangles de Luc

Luc dessine trois triangles de boules comme ci-après. Puis il réalise d'autres triangles selon le même modèle en ajoutant deux boules par côté d'un triangle à l'autre.

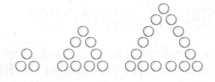

Quel est le rang du triangle qui contiendrait ensemble les boules des quatrième, cinquième et sixième triangles ?

83 >> CASES NOIRES

Jérémie est complètement absorbé par sa grille de mots croisés. C'est une grille 12 × 12 dans laquelle il a compté 20 cases noires.

Au maximum, combien Jérémie peut-il y écrire de lettres différentes ?

84 >> Cartes cachées

Quatre as et deux rois sont placés face contre table en une rangée.

1. L'as de cœur est à gauche du roi de trèfle, sans en être voisin.
2. Le roi de cœur est le voisin de gauche de l'as de carreau.
3. L'as de pique est le voisin de droite du roi de trèfle.
4. L'as de trèfle est le voisin de droite de l'as de carreau.

Placez les six cartes dans le bon ordre.

85 >> SUR QUATRE PATTES

Érika a une collection de chevaux de course. La somme des chiffres du nombre de chevaux est 8. Le nombre de pattes est composé de trois chiffres parmi les quatre suivants : 2, 3, 5 et 7.

Combien Érika a-t-elle de chevaux ?

86 >> Tête et conquêtes

En deux lettres, on la prononce.
Si farfelue, on la dénonce.
Si géniale, on la fête.
Elle commence en tête
et peut faire des conquêtes.

Qui est-elle ?

87 >> Atome magique

Martine prend neuf boules et les numérote de 1 à 9. Sur la figure ci-après, elle place les boules 3 et 6.

Placez les sept autres boules de façon que la somme de 2, 3 ou 4 boules reliées par une droite soit 13.

88 ›› Bonne réponse

Érika a écrit l'addition ci-après. Chaque lettre représente un chiffre différent. Dans ce cas-ci, E = 3 et Z = 9.

$$\begin{array}{r} \text{D E U X} \\ + \text{N E U F} \\ \hline \text{O N Z E} \end{array}$$

Quelle est la valeur de ONZE ?

89 ›› Les boules de Vincent

Vincent a disposé huit boules comme ci-après. Il a formé quatre rangées de trois boules.

Déplacez deux boules de façon à avoir six rangées de trois boules.

90 ›› PETITS BONHOMMES

Raymonde enregistre une chanson de Pierre Daulais, un parfait inconnu. Sur son écran, un petit bonhomme est apparu au début de l'opération. Par la suite, le même pictogramme apparaît toutes les 8 secondes. Le temps d'enregistrement est de 1 minute et 25 secondes.

Combien de petits bonhommes sont apparus ?

91 >> LES CASQUETTES D'AMIES

Quatre amies ont ensemble 10 casquettes. Chacune écrit le nombre de casquettes qu'elle possède sur un tableau. Si on multiplie les quatre nombres, on obtient le double du nombre de casquettes qu'elles possèdent.

Combien chacune des amies a-t-elle de casquettes ?

92 >> Les maisons de Barbara

Barbara a reproduit ces 12 maisons. En passant par au moins six maisons, elle dessine des rectangles de toute grandeur. Les carrés de neuf maisons sont exclus.

Combien Barbara peut-elle tracer de rectangles ?

93 >> L'hiver au Québec

C'était en plein hiver.
Un vent glacial soufflait du nord.
Sébastien se leva.
Il fit sa toilette.
Il descendit en bas.
Il mit son manteau et sa tuque.

Que doit faire Sébastien avant d'ouvrir la porte ?

94 >> MUSIQUE BÉNÉVOLE

Une fois par semaine, six élèves de l'école La Mélodie donnent des cours de guitare aux enfants de l'école primaire voisine.

Garçons : Marc, Rénald, Serge
Filles : Luce, Patricia, Viviane

À part Luce qui a 14 ans et Serge qui a 16 ans, les autres ont 15 ans. Ils doivent se présenter en groupes de trois si la somme des âges est 45 ans. Dans chaque groupe, il doit y avoir une seule fille.

Combien peut-on former de tels trios ?

95 >> Le cadran d'Alie

Sur la montre d'Alie, le nombre qui marque l'heure est la moitié de celui qui marque les minutes. La somme des deux nombres est 27.

Quelle heure est-il ?

96 » Joie ornithologique

Aurélie écoute le gazouillis des oiseaux dans le parc. Elle essaie de lire une expression en suivant les lettres voisines horizontalement et verticalement dans le tableau ci-après. Cette expression est formée par toutes les lettres prises une seule fois.

```
M E U N
M G A P
O C I I
N O S N
```

Déchiffrez l'expression.

97 » Dépôt de livres

Quatre amis ont acheté chacun un roman (R), un recueil de poésie (P), une biographie (B) et un livre d'histoire (H). Ils déposent leurs livres dans les cases d'une grille 4 × 4. Sur chaque ligne et dans chaque colonne, il doit y avoir un roman, un recueil de poésie, une biographie et un livre d'histoire. À un moment donné, la situation se présente ainsi :

	H		P
H		P	
			R
	P	R	

Complétez la grille de façon qu'il y ait un livre de chaque genre par rangée horizontale et verticale.

98 >> Céréales du matin

Annabelle ne sait pas si elle préfère les céréales numériques ou les céréales alphabétiques. Un peu superstitieuse, elle écrit la suite suivante et s'arrête à 13.

$$8 \text{ H } 11 \text{ O } 15 \text{ Q } 20 \text{ V } 13\dots$$

Quelle est la lettre qui devrait compléter cette suite ?

99 >> En attendant le siècle

Des triplées sont nées dans la nuit du 31 décembre 1999 au 1er janvier 2000. L'une est née à 23 h 59 min 10 s ; une deuxième est née à minuit tapant et la troisième est née à 0 h 01 min 10 s.

Combien d'entre elles sont nées au 21e siècle ?

100 >> POUR ANCIENS LETTRÉS

Cette phrase a été écrite au son.

HILA FOSSÉ
SAIT PRO PEAU
AN 10 ANS KILE
IGNE OR HAIE
SONNA PELLE.

Déchiffrez la phrase.

101 >> Ventes en flèche

Rosa et Vallier sont vendeurs d'automobiles. Le nombre de véhicules vendus suit une certaine logique. Voici les ventes des cinq premières semaines :

Semaine	1re	2e	3e	4e	5e
Rosa	2	7	5	10	8
Vallier	1	6	4	9	7

Ensemble, combien Rosa et Vallier ont-ils vendu d'automobiles durant la 11e semaine si le rythme se maintient ?

102 >> Partage d'Emmanuel

Emmanuel dessine un hexagone. En traçant deux droites, il obtient deux triangles de même grandeur et deux losanges de même grandeur :

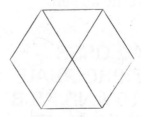

De son côté, Pierrette trace cinq droites dans un hexagone. Elle veut obtenir quatre triangles de même grandeur et deux rectangles de même grandeur.

Partagez l'hexagone comme Pierrette le veut.

103 >> En pleine face

Comme dans la brousse,
à tout poil, elle pousse.
Quand elle est à papa,
on ne s'en prive pas.
On la voit sur le maïs
mais pas sur le jeune fils.

Qui est-elle ?

104 >> Le poulailler de Mélissa

Mélissa a réparti ses poules dans quatre cages. Sa sœur
lui dit :
– J'ai compté 41 poules dans les cages A et B, 35 poules
dans les cages A et C, 41 poules dans les cages C et D.

Combien y a-t-il de poules en tout dans les cages B et D ?

105 >> BOUQUETS IMMOBILES

Irène a dessiné des bouquets de fleurs et a donné un numéro
à chacun.

Insérez un signe +, -, × ou ÷ entre eux de façon que le résultat
soit 60.

106 >> ON NAGE

Mon premier lave tout de la cave au grenier.
Mon deuxième est une des premières consonnes.
Mon troisième dans le temps sillonne.

Mon tout est une vaste étendue de mon premier.

Qui suis-je ?

107 >> Le cavalier de Cyprien

Cyprien pose son cavalier sur la case 1 de la grille. Comme aux échecs, le cavalier se déplace en faisant des sauts en L. Par la suite, le cavalier atteint les cases 2, 3, 4 et 5.

1			
		4	
5	2		
			3

À partir de 5, trouvez un chemin qui permet au cavalier d'atteindre au moins 15 cases.

108 >> Petit Jeannot

Pour son anniversaire, Jeannot a eu un cadeau de son amie Karine, un agenda de 260 pages.

Combien de chiffres ont été utilisés pour paginer cet agenda ?

109 >> L'amie de Janie

Janie, qu'on surnomme Jaja, a écrit les deux premières lettres de son prénom en une addition. La somme est ANN, le prénom de son amie. Chaque lettre représente un chiffre différent. Par exemple, J pourrait valoir 9, mais ce n'est pas le cas.

$$
\begin{array}{r}
J\,A \\
+\ J\,A \\
\hline
A\,N\,N
\end{array}
$$

Quelle est la valeur de ANN ?

110 >> Pas de jaunes

Maxime achète trois chemises, trois pantalons et trois paires de souliers. Chaque jour, il choisit un trio différent. Après avoir porté une seule fois sa paire de souliers jaunes, il a décidé de la faire disparaître. Il porte aussi une seule fois sa chemise jaune, mais pas le même jour que les souliers de la même couleur.

Pendant combien de jours Maxime pourra-t-il choisir un trio différent ?

111 >> AU GRAND PIC

Aujourd'hui, c'est le 111e jour d'une année bissextile. Julie et Julienne partent à la conquête de la montagne du Grand Pic. Elles reviendront dans 11 jours.

Quelle sera alors la date ?

112 >> LES BOUTONS D'ÉLIAS

Élias a placé huit boutons comme ci-après. Il a ainsi obtenu six rangées de trois boutons.

Enlevez deux boutons de façon à avoir trois rangées de trois boutons.

113 >> On compte

Personne ne veut en être un.
Cette énigme en a un.
Chaque maison en a un.
La loterie en a plus d'un.

Qui est-il ?

114 >> Le cadran de Sophie

Sophie a dessiné un cadran et y a écrit des nombres comme ci-après.

Quel est le nombre manquant ?

115 >> SONIA

Sonia a compté des moutons une partie de la nuit. Au lever, elle prend sa calculatrice et fait les opérations suivantes.

$$1 \times 8 + 1 = 9$$
$$12 \times 8 + 2 = 98$$
$$123 \times 8 + 3 = 987$$
$$1234 \times 8 + 4 = 9876$$
$$12345 \times 8 + 5 = 98765$$

En vous basant sur ces égalités, déterminez le résultat de 123 456 789 × 8 + 9.

116 >> Potineur pave

Potineur écrit le mot POTION. D'une ligne à l'autre, il change une syllabe à partir du mot précédent.

PO	TI	ON
PA	VA	GE

Formez trois mots de trois syllabes qui permettront de passer de POTION à PAVAGE.

117 >> Les billes de Valérie

Valérie a caché ses billes dans neuf urnes disposées comme ci-après. Pascal a dérobé les billes de sept urnes. Les deux urnes non touchées ont respectivement quatre et cinq billes. Valérie sait qu'il y avait exactement 18 billes dans chaque rangée horizontale, verticale et diagonale de 3 urnes.

Combien y avait-il de billes dans chacune des sept urnes avant l'intervention de Pascal ?

118 >> Famille agrandie

Ils sont nés dans la même famille, l'un avant minuit, l'autre après minuit. Maintenant, l'un a quatre sœurs ; l'autre a trois sœurs et un frère.

Combien y avait-il d'enfants dans cette famille avant l'arrivée des deux nouveau-nés ?

119 ≫ Les éléphants de Lucie

Lucie a une collection de PU éléphants. Elle en achète UP. Claire lui fait remarquer qu'elle a alors RAR éléphants. Chaque lettre représente un chiffre différent.

$$\begin{array}{r} P\,U \\ +\;U\,P \\ \hline R\,A\,R \end{array}$$

Combien Lucie a-t-elle d'éléphants ?

120 ≫ Trois égalités

Dans le rectangle suivant, huit cases sont vides. Le 1 est déjà à la bonne place.

	−		=	
	÷		=	
1	+		=	

Écrivez chacun des nombres de 2 à 9 de façon que les égalités soient vraies.

121 » Érables à sucre

Assis sur un banc, dans une érablière, sous une neige fondante, Tipou et Filou conversent.

> **Tipou :**
> — Combien ton oncle Daniel
>   t'a-t-il donné de bonbons
>   à l'érable ?

> **Filou :**
> — Si je fais la somme du
>   tiers et du quart de mes
>   bonbons, j'obtiens 42.

Combien Filou a-t-il eu de bonbons à l'érable ?

122 » Face à face

Isidore a assemblé 14 carrés de chocolat pour obtenir la figure ci-après. Il s'amuse à déplacer les carrés de façon à obtenir une figure qui ressemble à la première. Il ne peut pas prendre plus de deux carrés par colonne.

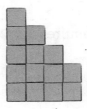

Déplacez quatre carrés de façon à obtenir la figure qu'on verrait dans un miroir.

123 >> AU CALENDRIER

Depuis 50 ans, Marie-Anna et Josaphat voient venir le temps des fêtes avec joie. À Noël, c'est la messe de minuit et le réveillon; au jour de l'An, l'échange de vœux et la grande tablée.

Entre 2000 et 2010, pendant combien d'années Noël et le jour de l'An sont-ils tombés le même jour de la semaine?

124 >> En désordre

Sous la grille, Marcelle a écrit quatre chiffres pour chaque rangée. Elle doit maintenant remplir la grille d'après les chiffres donnés en regard de chaque rangée.

```
      E  F  G  H
   ┌──┬──┬──┬──┐
 A │  │  │  │  │
   ├──┼──┼──┼──┤
 B │  │  │  │  │
   ├──┼──┼──┼──┤
 C │  │  │  │  │
   ├──┼──┼──┼──┤
 D │  │  │  │  │
   └──┴──┴──┴──┘
```

A: 1 4 5 8   B: 2 3 6 7   C: 1 3 5 6   D: 2 4 7 9
E: 2 2 4 6   F: 1 3 5 9   G: 4 5 6 8   H: 1 3 7 7

Remplissez la grille.

125 >> Début de siècle

Élodie a composé ce problème en 2002. Chaque carré vide doit contenir un chiffre. Un indice est donné en regard de chaque nombre.

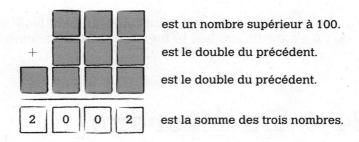

est un nombre supérieur à 100.

est le double du précédent.

est le double du précédent.

est la somme des trois nombres.

Quels sont les trois nombres manquants ?

126 >> Jeanne gèlera-t-elle ?

Jeanne a préparé cette figure dans laquelle elle a écrit six syllabes. On peut y lire GÈLERA.

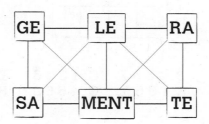

En allant d'une syllabe à une autre, trouvez trois autres mots de trois syllabes.

127 ›› Coffre de billes

Julie a placé le même nombre de billes dans chaque rangée horizontale, verticale et diagonale d'un coffre ayant neuf compartiments. Il y a six billes dans le compartiment A, trois dans le B, et quatre dans le C.

A		
	C	
B		

Combien y a-t-il de billes dans le coffre?

128 ›› Senteur de conifères

Sur un sentier tranquille,
loin de la ville,
Lorenzo vit un ours.
Il eut peur et fit demi-tour.

Que prit-il à son cou?

129 ›› LE NOM DE NADINE

Dans son journal intime, ce jour-là, Nadine a écrit: «Mon nom est égal à 847.»

Chaque lettre représente un chiffre différent. De plus, la valeur de M est supérieure de 3 à celle de N.

$$
\begin{array}{r}
M\,O\,N \\
+\ N\,O\,M \\
\hline
8\,4\,7
\end{array}
$$

Quelle est la valeur de NOM?

130 >> Les allumettes d'Élias

Élias a pris neuf allumettes et a représenté 64 qui est un carré.

Déplacez deux allumettes de façon à représenter un autre carré.

131 >> Doyens aux Tilleuls

Pour entrer dans la salle à manger, les 10 résidents de la Maison des Tilleuls doivent se placer par ordre d'âge en commençant par le plus vieux. Ils ont des âges consécutifs. Parmi eux, trois sont des cousins. Il y a deux personnes entre le plus vieux des cousins et le cousin moyennement âgé. Il y a trois personnes entre le cousin moyennement âgé et le plus jeune des cousins. La somme des âges des 3 cousins est de 224 ans.

Quel est l'âge de chacun des trois cousins?

132 >> CARREAUX DU PÈRE

Émile prend 16 carreaux dans le cabanon de son père et les dispose comme ci-après. Il dessine un symbole sur chaque carreau, soit quatre ★, quatre ✳, quatre ☆ et quatre ⬤.

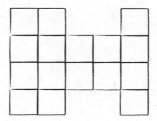

Dessinez les 16 symboles de façon que les 4 symboles identiques constituent une figure et que chaque figure soit de même forme.

133 >> Que fuit le temps

S'il n'était pas né,
impossible de se repérer.
Il change chaque année.
Parfois au mur accroché,
il est là sans bouger.

Qui est-il?

134 >> PAROLES D'ENFANTS

Chacun des cinq enfants dont les noms apparaissent ci-après a fait une présentation orale sur son animal préféré. De deux enfants séparés par une flèche, l'enfant qui est proche de la pointe de flèche a parlé moins longtemps que les autres.

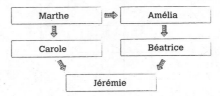

Quel enfant a parlé le moins longtemps ?

135 >> On vieillit

La somme des âges de Marco et de Pierrot est de 18 ans. Si on multiplie les deux âges, on obtient le nombre renversé, soit 81.

Quel est l'âge de chacun ?

136 >> La maison de Diogène

Diogène a écrit cinq mots. Chaque mot a été formé à partir du précédent selon une certaine règle. Diogène invite son amie à trouver un sixième mot qui est une partie d'une maison.

```
B O T T E
B O S S E
B U S T E
L E S T E
P E N T E
```

Trouvez le sixième mot.

137 >> PRÉDATEURS EN LIBERTÉ

Jacqueline a acheté 24 poules. Elle les a placées dans un carré comme ci-après. Cela fait huit poules par côté.

2	4	2
4	■	4
2	4	2

Au cours de la nuit, quatre poules ont été enlevées par de méchants renards. Pourtant, au matin, Jacqueline compte encore huit poules sur chaque côté du carré.

Comment les poules pouvaient-elles être réparties au matin ?

138 >> Le stage d'Ariane

Après ses études universitaires, Ariane décide d'aller faire un stage en France. Le stage est d'une durée d'à peu près trois mois. Ariane est partie le jour de la fête du Travail, soit le premier lundi de septembre. Elle est revenue 108 jours plus tard.

Quel jour de la semaine Ariane était-elle de retour ?

139 >> Pière sonnet

Quand Gabrielle additionne trois fois les deux premières lettres de son prénom, cela donne un Sonnet Sans Soupir. Chaque lettre représente un chiffre différent.

$$
\begin{array}{r}
G\,A \\
+\;G\,A \\
+\;G\,A \\
\hline
S\,S\,S
\end{array}
$$

Quelle est la plus grande valeur de SSS ?

140 >> Roues et étoiles

François a dessiné des soleils et des étoiles dans neuf cases. Il désire faire trois groupes de trois cases de façon qu'il y ait le même nombre de soleils et d'étoiles dans chaque groupe. Les trois premières cases appartiennent à des groupes différents.

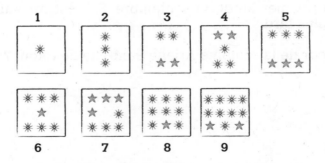

Partagez cet ensemble en trois groupes de trois cases.

141 ≫ Dominos rares

Les dominos vendus dans le commerce sont divisés en deux parties et sont marqués de points dont le nombre représente les combinaisons possibles des entiers de 0 à 6 pris deux à deux. Par exemple, le plus petit domino est (0, 0) et le plus grand, (6, 6).

Marielle a acheté un jeu de dominos particulier. Le plus petit domino est (1, 1) et le plus grand, (5, 5). Il n'y a donc pas de demi-domino 0, ni de demi-domino 6.

Combien y a-t-il de dominos dans le jeu qu'a acheté Marielle ?

142 ≫ La grille de Jasmin

Jasmin trace une grille 5 × 5 comme ci-après. Il y compte 16 carrés 2 × 2. Par exemple, dans les deux premières colonnes, il compte quatre carrés 2 × 2.

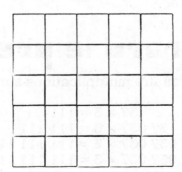

Combien Jasmin pourra-t-il compter de carrés 3 × 3 dans cette grille ?

143 >> PLEINS DE COUPURES

Mon premier est une formule sans mule.
Mon deuxième est une migraine sans graine.
Mon troisième est la fin de corrida.
Mon quatrième est la fin de trouble.

Mon tout est un mot extraordinaire.

Qui suis-je?

144 >> Points d'interrogation

Félix a dessiné les figures ci-après en respectant une certaine logique.

Dessinez la quatrième figure.

145 >> Gérard le premier

Gérard a fait les quatre multiplications suivantes:

$$37 \times 3 = 111$$
$$37\,037 \times 3 = 111\,111$$
$$37\,037\,037 \times 3 = 111\,111\,111$$
$$37\,037\,037\,037 \times 3 = 111\,111\,111\,111$$

Il a continué à écrire des multiplications sur ce modèle jusqu'à ce que le résultat soit formé de 30 fois le chiffre 1.

Dans ce cas, combien Gérard a-t-il écrit de 3 dans le premier membre de l'égalité?

146 >> LES LETTRES DE FRÉDÉRIQUE

Frédérique n'a pas de problème d'orientation. Elle a écrit cinq lettres par ligne selon un ordre logique. Puis elle a effacé quatre lettres.

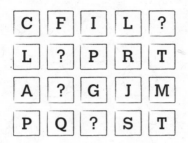

Sur chaque ligne, trouvez la lettre qui manque. Avec ces lettres, formez un mot qui ne roule pas.

147 >> Les bijoux d'Élégante

Élégante a réparti ses bijoux en neuf coffrets. Il y a le même nombre de bijoux dans chaque rangée horizontale, verticale et diagonale.

- Les coffrets C et D contiennent ensemble 18 bijoux.
- Les coffrets A et B ont ensemble 16 bijoux.
- Le coffret E contient 6 bijoux.

	A	C
	D	
E	B	

Combien y a-t-il de bijoux en tout dans les neuf coffrets?

148 >> LETTRES EN TRIANGLE

Emma dessine un triangle et désire inscrire une lettre dans chaque case. Les lettres sont : A, U, N, P, S et E.

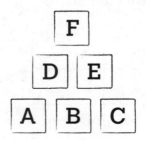

Disposez les lettres de façon à former un mot de trois lettres dans chaque rangée.

149 >> Les briques d'Alixe

Alixe a préparé cette pyramide dans laquelle A + B = D, B + C = E et D + E = F. Elle informe sa sœur que F = 23 et que A + B + C = 17.

```
      ┌───┐
      │ F │
    ┌───┬───┐
    │ D │ E │
  ┌───┬───┬───┐
  │ A │ B │ C │
  └───┴───┴───┘
```

Quelle est la valeur de B ?

150 ≫ Les ajouts de Mélodie

Mélodie dessine un 5 et un 1 pour former 51. Elle ajoute trois segments seulement à ces chiffres et obtient le plus grand nombre possible de deux chiffres.

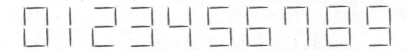

Quel est ce nombre ?

151 ≫ Le défi d'Antoine

Le long d'un sentier, Antoine voit trois lièvres. Un quart de kilomètre plus loin, il voit six autres lièvres. À un autre quart de kilomètre, neuf lièvres batifolent. Antoine continue son chemin. Tous les quarts de kilomètre, le nombre de lièvres augmente de 3.

Quelle distance Antoine aura-t-il parcourue quand il aura vu 108 lièvres ?

152 ≫ LES ALLUMETTES DE JULES

Jules construit un rectangle 2 × 3 comme ci-après avec 17 allumettes.

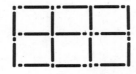

Combien Julien utilisera-t-il d'allumettes pour construire un rectangle 6 × 7 ?

153 >> Oncle bizarre

Mon oncle Aimé
Par tous est rejeté.
Il fouine autour de nous;
Il nous prévient de tout.
On le traite de sangsue;
On l'éloigne de notre vue.

Quelle sorte de papier mon oncle Aimé préfère-t-il?

154 >> Conversation muette

Quatre amies sont assises face à face sur deux divans dans un petit salon. Chacune lit un journal.

Amies: Alma, Irma, Gemma, Rama
Journaux: Désastre, Fléau, Marotte, Repli

1. Irma est en face de celle qui lit la Marotte.
2. Gemma est en face de celle qui lit le Fléau.
3. Rama n'est pas sur le même divan qu'Alma.
4. Alma n'est pas en face de Rama.
5. Gemma n'est pas à côté de Rama et ne lit pas le Repli.

Quelle est la place respective de chacune et quel journal lit-elle?

155 >> JACQUET LE FINAUD

Siméon demande à ses élèves de diviser 2 par 4. Personne ne répond. Finalement, le petit Jacquet du fond de la classe s'écrie :

– Si j'avais deux pommes, je les partagerais en huit morceaux. Je garderais quatre morceaux pour moi et je donnerais un morceau à chacun des quatre autres enfants.

Alors, Siméon écrit :

$$2 \div 4 = 8$$

Déplacez deux segments de façon que l'égalité soit vraie.

156 >> Tout droit

On la trouve dans les rues
tout droit à vue.
Parfois dans le parc
elle part d'un arc.
Si on le souhaite,
c'est ainsi qu'elle est faite.

E	C	F	E	H	L

Qui est-elle ?

157 >> Les œufs de Boris

Boris revient du poulailler avec 57 œufs. Il dépose d'abord huit œufs dans trois cellules comme ci-après. Il veut remplir les cellules vides avec respectivement 5, 6, 7, 8, 11 et 12 œufs. Chaque rangée de 2 ou de 3 cellules doit contenir 19 œufs.

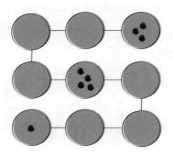

Disposez les œufs dans les cellules vides.

158 >> Paupières lourdes

Gaston est fou de joie depuis qu'on lui a offert le jeu vidéo dont il rêvait depuis belle lurette. Son rêve survenait autant le jour que la nuit.

Quelle est la couleur de la nuit quand les paupières sont retenues par des épingles à linge ?

159 >> Mon chien Bob

Bob adore les os. Trois fois un os est un festin pour lui.
Garic a écrit pour Bob l'addition ci-après. Chaque lettre
représente un chiffre différent.

```
    O S
  + O S
  + O S
  -----
  B O B
```

Quelle est la valeur de BOB ?

160 >> Compte de Réal

Réal a écrit les cinq nombres suivants :

| 7 | 8 | 9 | 75 | 100 |

À l'aide d'opérations simples, combinez les cinq nombres
de façon que le résultat soit 109.

161 >> LES SOLDATS DE JEANNOT

Jeannot a placé ses soldats de plomb sur une tablette. Marine lui dit :

– Prends le nombre qui correspond à celui de tes soldats. Fais les opérations dans cet ordre : multiplier par 2, additionner 8 et diviser par 3. Puis donne-moi ton résultat.

Jeannot annonce que son résultat est 18.

Combien Jeannot a-t-il de soldats de plomb ?

162 >> Aux cartes

Lucie a disposé les quatre couleurs d'un jeu de cartes en un carré comme ceci :

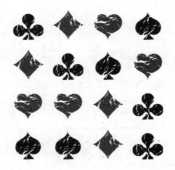

Partagez le carré en quatre parties ayant la même forme et contenant chacune les quatre couleurs différentes.

163 >> PASSE-TEMPS PRÉFÉRÉS

Pendant que monsieur C joue à la cachette avec sa fille, madame D joue aux dominos avec son fils.

Pendant que monsieur R lit un roman historique, madame A lit un album de bandes dessinées.

Pendant que son mari monte la tente, madame H prépare un hamac.

Comment s'appelle le mari de madame H?

164 >> Animaux en cages

Fermière a neuf images représentant autant d'animaux: un chat, un cheval, un chien, un lapin, un mouton, un pigeon, une poule, un porc et une vache.

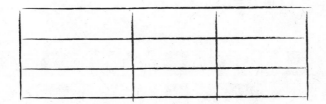

1. La vache est voisine à la gauche du cheval.
2. Le chien est voisin au-dessous du pigeon.
3. Le pigeon est voisin à la droite du lapin.
4. La poule est voisine au-dessus du mouton et à droite du chien.
5. Le chat est voisin du chien dans la même rangée horizontale.

Placez chacune des images dans la bonne case.

165 >> Pairs d'Harmonica

Harmonica fait la somme des nombres pairs consécutifs à partir de 2. Elle écrit :

$$2$$
$$2 + 4 = 6$$
$$2 + 4 + 6 = 12$$
$$2 + 4 + 6 + 8 = 20$$
$$2 + 4 + 6 + 8 + 10 = 30$$

Quelle est la somme des nombres pairs consécutifs de 12 à 50 inclusivement ?

166 >> Proverbe bulgare

Ce proverbe a été écrit en nombres. Les mots sont séparés par des cases noires. Chaque lettre de l'alphabet correspond à un nombre. Cinq indices sont donnés : R = 2 , P = 6, A = 9, U = 12 et L = 21.

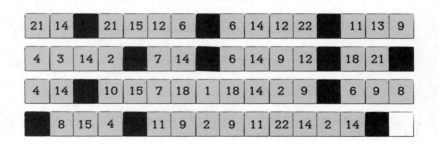

Déchiffrez la phrase.

167 >> CLOCHES DE BONBONS

Joséphine place neuf cloches dans un carré. Elle cache 9 bonbons sous la cloche ❤, 7 sous la cloche ▲ et 11 sous la cloche ✖. Les autres bonbons sont disposés de telle manière qu'il y a la même quantité dans chaque rangée horizontale, verticale et diagonale. En tout, Joséphine a 54 bonbons.

Combien y a-t-il de bonbons sous chacune des cloches?

168 >> Absence de coopération

Lucia dépose sur la table trois dés : un rouge, un jaune et un vert. Elle désire combiner les trois dés pour obtenir une somme de 7. Le dé rouge fait le difficile, il est peu coopératif. Quand il montre un 3, il n'accepte pas d'accompagner les deux autres dés.

Combien y a-t-il de possibilités d'obtenir une somme de 7 avec les trois dés?

169 >> Cercle rond

Bernard ne connaît pas de cercles carrés. Aussi, il écrit l'addition ci-après. Chaque lettre représente un chiffre différent. Dans ce cas-ci, D = 6.

$$
\begin{array}{r}
C\,E\,R \\
+\ C\,L\,E \\
\hline
R\,O\,N\,D
\end{array}
$$

Quelle est la plus petite valeur de ROND ?

170 >> Sur un air mélodique

Dans cette grille carrée, Mélodie a noirci cinq cases et a dessiné autant de points.

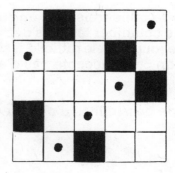

Combien y a-t-il de carrés 2 × 2 qui contiennent exactement deux cases blanches ?

171 ≫ AU GOLF

Natacha a placé cinq balles de golf en ligne sur le gazon.
Elle a représenté la situation par le diagramme ci-après,
sans se préoccuper de le faire à l'échelle.

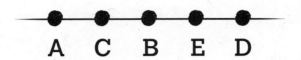

A est à 20 millimètres de B.   C est à 21 millimètres de E.
D est à 36 millimètres de A.   E est à 29 millimètres de A.

Quelle est la distance entre B et E ?

172 ≫ D'accord, minou ?

Lucienne dessine une grille 3 × 3. Elle découpe huit jetons.
Sur chacun, elle écrit les lettres U, M, D, O, I, C, A et N. Puis
elle dépose chaque jeton sur la case appropriée dans la
grille de gauche.

U	M	
D	O	I
C	A	N

	M	I
N	O	U
D	A	C

Déplacez les jetons un à un sur toute case libre en les glis-
sant ou en sautant par-dessus une case. Le saut peut se
faire seulement horizontalement ou verticalement.

À la fin, vous devez obtenir la disposition de droite.

173 >> PAS LOIN D'UNE BÉQUILLE

Les Français en ont une.
Les Québécois auraient pu en avoir une.
Les habitants de Nice en ont une.
Achille et son cheval ont failli en avoir une.

Qui est-ce ?

174 >> Couples assortis

Marien a écrit quatre couples d'un nombre et d'une lettre chacun.

3 T   7 R   11 O   15 K...

Quel est le couple qui devrait compléter cette suite ?

175 >> Le tableau de Marius

Dans les cases vides du tableau, Marius veut placer chacun des chiffres de 1 à 8. Le deuxième nombre doit être le double du premier. Le troisième augmenté de 13 doit être égal au quatrième. Le chiffre 7 est déjà à la bonne place.

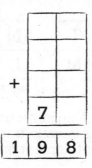

Trouvez les quatre nombres dont la somme est 198.

176 >> MOTS CROISÉS

Écrivez 2, 5 et 9 en lettres comme dans une grille de mots croisés. Chaque mot doit au moins croiser un autre mot.

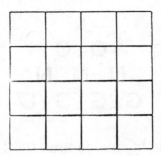

177 >> Lettres d'Émilia

Émilia a écrit, dans cette figure, des lettres de A à F. Chaque lettre représente un chiffre différent. Dans ce cas-ci, F = 7.

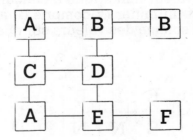

Dans chaque case, remplacez les lettres par des chiffres de façon que la somme soit 12 dans chacune des rangées de deux ou trois cases reliées par une droite.

178 >> Triangle court

Florence trouve le temps long. En attendant d'embarquer dans l'avion, elle forme ce petit triangle :

L
O . O
N . N . N
G . G . G . G

Combien y a-t-il de façons de lire LONG en passant d'une lettre à une autre ?

179 >> On additionne des moitiés

Ben a écrit les lettres de son nom dans le carré ci-après. Il a donné une valeur numérique à chacune d'entre elles. Cette valeur est un entier (y compris 0) augmenté de ½. Puis il a écrit la somme des valeurs sur chaque ligne.

E	E	B	6½
B	N	N	8½
N	B	E	7½

Quelle est la plus petite valeur de N ?

180 >> Jenny s'amuse

Jenny prend quatre groupes de quatre jetons portant les mêmes numéros. Elle fait quatre rangées horizontales de jetons.

$$2 \ \square \ 2 \ \square \ 2 \ \square \ 2 = 12$$
$$3 \ \square \ 3 \ \square \ 3 \ \square \ 3 = 15$$
$$4 \ \square \ 4 \ \square \ 4 \ \square \ 4 = 5$$
$$5 \ \square \ 5 \ \square \ 5 \ \square \ 5 = 4$$

Inscrivez quatre signes +, quatre signes ×, deux signes – et deux signes ÷ dans les cases vides de façon que les égalités soient vraies.

181 >> Exposition de tortues

Pour vendre ses 150 tortues, Estelle doit les placer en un triangle. Il doit y avoir une tortue sur la première rangée, deux sur la deuxième rangée, trois sur la troisième rangée et ainsi de suite.

Combien de tortues pourront être placées dans la dernière rangée, celle-ci étant incomplète ?

182 >> MOulin à scie

Martine a deux planches de bois qui mesurent respectivement 4 et 5 mètres de longueur. Elle scie chacune des planches en pièces de 1 mètre. Chaque découpe lui prend 10 secondes.

Au minimum, combien Martine consacrera-t-elle de temps à ce travail ?

183 >> Enchère trop élevée

Camille joue au poker. Elle regrette d'avoir misé et, surtout, d'avoir trop misé. Elle pense que sa situation est catastrophique et, voyant la réaction de son partenaire, elle est piquée au vif.

Au lieu de paniquer, que doit-elle tirer du jeu pour s'en sortir ?

184 >> AUX ÉCHECS

Quatre amis ont décidé de jouer régulièrement aux échecs.

Prénoms : Albert, Beauvais, Chad, Dino
Noms de famille : Damier, Lamier, Ramier, Tamier

1. Albert et Damier sont dans une pièce ; Beauvais
   et Lamier, dans une autre pièce.
2. Ordinairement, Tamier joue mieux que Dino et Beauvais.
3. Avant de partir, Dino a parlé longuement avec Ramier
   et a salué Damier.

Quel est le nom de famille de Chad ?

Albert	Beauvais	Chad	Dino

185 >> Le béton d'Eugène

Pendant la nuit, Eugène a rêvé qu'il avait soulevé trois blocs de béton de poids différents. Dans le tableau ci-après où on fait le total des poids, des indices sont donnés.

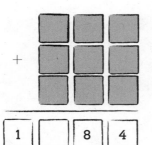

Ce nombre contient un 6.

C'est le double du 1er nombre.

C'est le triple du 1er nombre.

Quel est le poids de chacun des blocs de béton ?

186 >> Les croisés de Tibert

Tibert a composé des mots croisés sans cases noires. Un mot qui occupe une ligne doit également apparaître dans la colonne portant le même numéro. Une définition et l'anagramme du mot entre parenthèses sont données pour chaque rangée horizontale (et verticale).

	1	2	3	4	5
1					
2					
3					
4					
5					

1. TRÈS PEU (ALMER)
2. DE CHANCE (TAUTO)
3. USE LENTEMENT (GORNE)
4. CRIE COMME UN BŒUF (GUTIM)
5. FAIT PERDRE LA TÊTE. (TEEET)

Remplissez la grille.

187 ≫ La fortune de Jonathan

Jonathan a dans ses poches 16 pièces ayant les valeurs
suivantes : 1, 5, 10 et 25 florins. Il dessine une grille 4 × 4
et y place sept pièces comme ci-après. Il veut placer les
autres pièces dans les cases vides. Il doit y avoir des
pièces de valeurs différentes dans chaque rangée horizontale, verticale et diagonale.

1	5	10	25
10			
25			
5			

Disposez les neuf autres pièces.

188 ≫ Double de lettres

Arthur prend deux nombres qui ont ensemble sept lettres.
La somme des deux nombres est 14.

Quels sont ces deux nombres ?

189 >> PAIR EST PAIR

Julie a écrit l'addition ci-après dans laquelle elle confirme que QUATRE est PAIR. Chaque lettre représente un chiffre différent. Dans ce cas-ci, U = 2, T = 7 et E = 4.

$$
\begin{array}{r}
Q\,U\,A \\
+\ T\,R\,E \\
\hline
P\,A\,I\,R
\end{array}
$$

Quelle est la valeur de PAIR ?

190 >> Le trident d'Adam

Adam a accolé huit rectangles comme ci-après. La disposition des rectangles permet d'en compter d'autres qui sont plus larges ou plus longs.

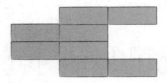

Combien peut-on compter de rectangles de plus d'une partie dans cette figure ?

191 >> Les appels de Marielle

Durant son premier jour de travail, Marielle a reçu deux fois plus d'appels téléphoniques que le deuxième jour. Le troisième jour, elle a eu 27 appels. Pendant ces trois jours, Marielle a reçu moins de 90 appels.

Combien Marielle a-t-elle reçu d'appels téléphoniques au minimum durant ces trois jours ?

192 >> Les carrés de Jennifer

Jennifer découpe quatre carrés. Chaque côté d'un carré mesure 1 centimètre. En assemblant les quatre carrés comme ci-après, le périmètre de la figure est de 8 centimètres.

Assemblez les quatre carrés de façon à former une figure dont le périmètre est de 11 centimètres.

193 >> Lièvres affamés

Au moins trois magnifiques ourses vont à la rivière accompagnées chacune d'au moins deux chétifs petits lièvres.

Combien y a-t-il de lièvres au minimum ?

194 >> TOUT EN IOTA

Dans un paragraphe, Yvan a écrit trois phrases. Les deux premières contiennent 16 fois la lettre I. La troisième phrase est : « Ce paragraphe (comprend ou contient) … I. »

Complétez la troisième phrase pour que celle-ci soit vraie.

Il vous faut choisir COMPREND ou CONTIENT puis 18 ou 19 en lettres.

195 >> CADRAN ÉLECTRONIQUE

Au moyen de chiffres électroniques comme ci-après, Aurélie forme des nombres inférieurs à 50.

Dans cette suite, trouvez deux nombres dont la différence est 39 et dont le plus grand est impair. De plus, il faut 13 segments pour écrire ces 2 nombres.

196 >> La sucession d'Alexiane

Alexiane se représente un nombre en lettres. Elle compte les lettres et écrit ce nombre. Elle fait de même pour le deuxième nombre et ainsi de suite. Par exemple, elle écrit successivement : DIX (3 lettres), TROIS (5 lettres), CINQ (4 lettres), QUATRE (6 lettres), etc.

Elle a trouvé un cas où le premier nombre ne dépasse pas 25. Ce premier nombre est le produit du deuxième et du troisième nombre.

Quels sont ces trois nombres ?

197 ≫ LES BOCAUX DE LOUIS

Louis dispose huit bocaux comme ci-après. Sur deux bocaux, il écrit les numéros 2 et 11. Sur les autres bocaux, il doit inscrire : 2, 3, 4, 5, 9 et 12. La somme des numéros de deux ou de trois bocaux reliés par une droite doit être égale à 16.

Inscrivez les autres numéros.

198 ≫ Terreau de fleurs

Gaétane aménage une platebande de forme hexagonale comme ci-après. Elle plante trois fleurs sur chaque côté dont une dans chaque coin, ce qui exige 12 fleurs.

Combien Gaétane aura-t-elle de fleurs si elle en plante sept par côté dont une dans chaque coin ?

199 » Tout en zen

Zénith a écrit l'addition suivante. Chaque lettre représente un chiffre différent. Dans ce cas-ci, Q = 6 et E = 4. Toutefois, aucune lettre ne vaut 3.

$$
\begin{array}{r}
Q\ U\ I \\
+\ N\ Z\ E \\
\hline
Z\ E\ N
\end{array}
$$

Quelle est la valeur de QUINZE ?

200 » Trèfles sans cartes

Arielle a dessiné sept trèfles en une rangée. Sa sœur Bianca lui dit :

— Je peux prendre les sept trèfles et les disposer en cinq rangées de trois trèfles chacune.

Disposez les sept trèfles de façon qu'ils forment cinq rangées.

201 ➤➤ Séance de tarot

Eugénie ne manque jamais les parties de tarot du vendredi après-midi. Aujourd'hui, étant indisposée, elle ne peut s'y rendre. Elle écrit alors les lettres de TAROT dans le tableau suivant :

```
            R        T
       A         O
   T        R        T
       A         O
            R        T
```

Combien y a-t-il de façons de lire TAROT en joignant les lettres voisines ?

202 ➤➤ Découpage de Josée

Josée a découpé une planche carrée en suivant cinq traits de scie comme ci-après. Elle a obtenu huit triangles de même grandeur.

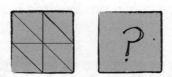

Partagez une planche carrée en suivant quatre traits de scie de façon à obtenir aussi huit triangles de même grandeur.

203 >> FOUILLIS DE GANTS

Dans un tiroir, il y a pêle-mêle trois paires de gants et un gant de la main gauche. Joséphine ferme les yeux et tire un premier gant, un deuxième, etc. Elle ne remet aucun gant dans le tiroir.

Combien Joséphine doit-elle tirer de gants au minimum pour être certaine d'avoir un deuxième gant de la main gauche au prochain tirage?

204 >> Le carton de Désirée

Désirée a choisi un nombre de quatre chiffres. Fénelon essaie de le deviner en énonçant des nombres. Au fur et à mesure, Désirée lui donne des indices par rapport au nombre choisi.

4	3	6	1	.	DEUX CHIFFRES SONT à LA BONNE PLACE.
5	7	8	9		DEUX CHIFFRES SONT à LA BONNE PLACE.
4	2	8	3		AUCUN CHIFFRE N'EST à LA BONNE PLACE.
2	3	0	9		AUCUN CHIFFRE N'EST à LA BONNE PLACE.

Quel est le nombre choisi par Désirée?

205 >> Bianca est fière

Bianca veut faire deviner l'âge de sa fille. Elle prend le nombre correspondant à l'âge de celle-ci, le multiplie par 2, additionne 3 et multiplie par 3. Elle obtient 33.

Quel est l'âge de la fille de Bianca?

206 >> MOTS BROUILLÉS

Miville a tracé une grille 5 × 5 dans laquelle il a noirci deux cases.

Il dit à son ami :

– Je te donne les lettres en désordre dans chaque rangée horizontale et verticale.

	1	2	3	4	5
1					
2					
3				■	
4			■		
5					

Horizontalement	Verticalement
1. A C E R R	1. N O E T C
2. A I O T T	2. T T O U A
3. N S R O	3. U S A R
4. L U E T	4. I L I R
5. I S U T E	5. R E S T E

Remplissez la grille en formant des mots comme dans des mots croisés.

207 >> Les ballons de Louise

Louise a pris huit ballons. Elle a inscrit un numéro sur chacun d'eux.

Combien y a-t-il de groupes différents de trois ballons qui contiennent deux numéros impairs et un numéro pair ?

208 >> Piquet dort debout

On avait demandé à Piquet l'Endormi de dessiner 12 piques dans cette grille. Distrait comme toujours, il en a dessiné 16.

Effacez quatre piques de façon qu'il en reste trois dans chaque rangée horizontale, verticale et diagonale.

209 ➤➤ Contraction d'Hubert

Hubert a décidé d'écrire seulement la première lettre de chaque mot désignant un nombre. Ainsi, QVQ peut se lire 84, 94 ou 95. Hubert a écrit :

$$
\begin{array}{r}
C\,Q \\
+\ C\,D \\
\hline
1\ 6\ 7
\end{array}
$$

Quelle est la valeur de CQ et de CD ?

210 ➤➤ Catherine Lit

Catherine s'installe dans son fauteuil favori avec un roman en main. Avant d'ouvrir son livre, elle programme sa montre pour qu'elle émette un bip sonore chaque fois que la somme des chiffres des heures et des minutes est 13. Elle commence à lire à 17 h 35. Elle a l'intention d'arrêter sa lecture au sixième bip sonore.

Combien de temps Catherine consacrera-t-elle à la lecture de son roman ?

211 ➤➤ LA CORDE D'ALBERT

Au pays des Régulés, le grand chef présente à Alfred trois bâtons qui mesurent respectivement 42, 63 et 105 doigts.

– Tu dois, dit-il, mesurer ces bâtons avec une seule corde.

Quelle sera la longueur maximale de la corde qui va permettre à Alfred de mesurer les trois bâtons ?

212 >> Les coupes de Ghislain

Ghislain a scié cette planche en suivant un trait vertical
en son milieu. Les deux parties sont de même forme et de
même grandeur.

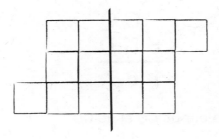

Trouvez une autre façon de partager la planche en deux
parties de même forme et de même grandeur.

213 >> On tourne

Son métier existe depuis peu de temps. Il tourne autour du
carré.

Quel est ce métier ?

```
   I  N  E
        
   C     A
        
   E  T  S
```

214 >> TRIPLES COULEURS

Chacun des carrés de cette figure doit être colorié en bleu, en jaune ou en vert. Trois carrés doivent être de chaque couleur.

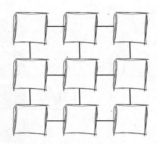

On doit y trouver :

- Un bleu dans trois coins
- Un jaune à gauche d'un bleu et un autre jaune au-dessus d'un vert
- Un vert entre deux bleus
- Un jaune au-dessous d'un jaune et à gauche d'un autre jaune

Attribuez une couleur à chaque carré.

215 >> Jérémie le grand

Même s'il est maintenant un grand garçon, Jérémie n'oublie pas sa maman. Dans un moment de nostalgie, il écrit à la suite deux fois MAMAN et une fois MIA comme ci-après. Il continue selon la même régularité.

Quelle sera la 100ᵉ lettre écrite ?

216 » Les remords d'Élodie

Élodie a écrit cinq mots de huit lettres. Puis elle a effacé toutes les consonnes. Elle a alors eu des remords et a décidé d'indiquer à droite deux des consonnes de chaque mot.

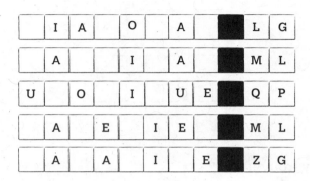

Complétez la grille.

217 » Autour des sommets

Dans les sommets des petits triangles de la figure ci-après, Eugène veut écrire chacun des nombres de 1 à 6. La somme des nombres se trouvant aux sommets de chacun des trois triangles est 8, 10 et 12 comme il est indiqué.

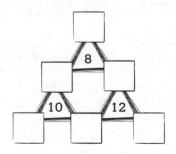

Quelle est la somme des nombres se trouvant aux sommets du triangle du milieu ?

218 >> TENNIS ET BALLON

Dans une classe, cinq enfants jouent au tennis ; sept enfants jouent au ballon ; trois enfants pratiquent les deux sports.

Combien y a-t-il d'enfants dans cette classe ?

219 >> L'alphabet de Ghislaine

Ghislaine a écrit sur une feuille les 12 premières lettres de l'alphabet avec leur représentation au moyen de 2 symboles. Les autres lettres doivent être formées selon la même régularité.

A ✪	B ✪✪	C ✪✪✪
D ▶✪	E ▶✪✪	F ▶✪✪✪
G ▶▶✪	H ▶▶✪✪	I ▶▶✪✪✪
J ▶▶▶✪	K ▶▶▶✪✪	L ▶▶▶✪✪✪

De quelle façon peut-on représenter Z ?

220 >> ÉCONOMIE D'ALLUMETTES

Caroline construit des carrés avec quatre allumettes. Elle accole les petits carrés, ce qui lui permet d'économiser des allumettes. Voici un rectangle 1 × 3 :

Combien Caroline devra-t-elle utiliser d'allumettes pour former un carré composé de 16 petits carrés ?

221 >> Yeux d'argent

Pascal, un jeune homme aux yeux couleur d'argent, a gagné 480 pistoles dans une vente de garage. Chaque personne a payé avec des pièces de 10 et de 25 pistoles. Pascal a empoché 30 pièces.

Combien Pascal a-t-il de pièces de chaque valeur ?

222 >> Découpage de Richard

Richard découpe deux carrés de même grandeur. Puis il partage chacun des carrés en deux triangles par une diagonale. Il obtient ainsi quatre morceaux identiques.

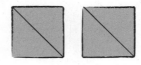

Assemblez les quatre morceaux de façon à former un carré.

223 >> PAMPLEMOUSSE MÉCANIQUE

Un robot qui fonctionne au jus de raisin est programmé pour cueillir 80 pamplemousses en 1 heure et 20 minutes.

Combien le robot cueillera-t-il de pamplemousses en 2 heures moins 20 minutes ?

224 >> Balance à plateaux

Des objets sont placés sur les plateaux d'une balance en équilibre. Le carré pèse 5 grammes de plus que le triangle. Chacun des rectangles a le même poids.

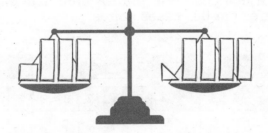

Quel est le poids minimum d'un rectangle en valeurs entières ?

225 » Yolande efface

Yolande a écrit l'égalité ci-après et a effacé les signes sauf =.

$$3 \quad 3 \quad 3 = 8 \quad 2 \quad 6$$

Insérez un signe +, −, × ou ÷ entre les nombres de façon que l'égalité soit vraie.

226 » Parole de Barnabé

Barnabé a composé une phrase dans laquelle les mots sont séparés par des cases noires.

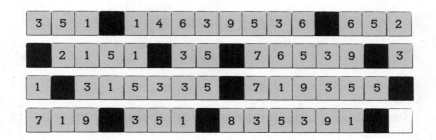

Chaque chiffre de 1 à 9 représente les différentes lettres données dans le tableau ci-dessus.

1 : A J S	2 : D K T	3 : G L U
4 : B M V	5 : E N W	6 : H O X
7 : C P Y	8 : F Q Z	9 : I R

Déchiffrez la phrase.

227 >> LES ERREURS D'AMANDA

Amanda a écrit neuf nombres dans le carré ci-après dans l'intention d'obtenir une somme de 30 dans chaque rangée horizontale, verticale et diagonale. Après vérification, elle s'est rendu compte que la somme par rangée n'est pas toujours la même.

16	4	8
6	10	14
12	18	2

Intervertissez deux couples de nombres de façon que la somme soit 30 dans chacune des huit rangées de trois nombres.

228 >> Gare au feu

Avec des allumettes, Guillaume a écrit l'égalité ci-après. Cette égalité est fausse. En effet, on peut lire : 4 - 6 = 2.

$$IV - VI = II$$

Déplacez une allumette de façon que l'égalité soit vraie.

229 >> Vite en taxi

Exploratrice a fait quatre courses en TAXI la même journée.
Cela lui a permis d'arriver VITE. Chaque lettre représente
un chiffre différent. Dans ce cas-ci, A = 1 et E = 4.

$$\begin{array}{r}
\text{T A X I} \\
+\ \text{T A X I} \\
+\ \text{T A X I} \\
+\ \text{T A X I} \\
\hline
\text{V I T E}
\end{array}$$

Quelle est la valeur de VITE ?

230 >> Les étoiles de Noémie

Noémie dessine quatre figures avec des étoiles et des
losanges. Puis elle continue selon la même régularité.

Combien la 15ᵉ figure devrait-elle avoir d'étoiles ?

231 >> LES ROUBLES DE CYRILLE

Cyrille partage 160 roubles entre trois amis. Le deuxième doit avoir 11 roubles de plus que le premier ; le troisième, 12 roubles de plus que le deuxième.

Combien chaque ami recevra-t-il de roubles ?

232 >> Le cadran de Corinne

Corinne a trouvé dans le grenier de son grand-père une horloge sans aiguilles. En voyant le cadran, elle a eu une idée. Elle a décidé de partager le cadran en quatre parties de façon que la somme des nombres de chaque partie soit respectivement 15, 18, 21 et 24. Voici le partage qu'elle a fait :

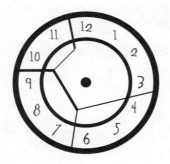

Trouvez une autre façon de partager le cadran de façon à obtenir les mêmes sommes.

233 >> Allumettes arithmétiques

Numérix préfère l'arithmétique à la géométrie. Il a pris quatre allumettes et les a disposées en un carré.

Ajoutez une allumette de façon à avoir un carré.

234 >> Les jouets de Karine

Karine se plaint de son petit frère à sa mère :

– Non seulement, dit-elle, il m'enlève mon ballon, mais il cache mes jouets.

La mère a alors l'idée de préparer le tableau suivant :

89	71	82	92
72	?	53	36
17	28	29	56

Quel est le nombre manquant?

235 >> LES GROUPES DE JULIETTE

Juliette forme des groupes différents de trois nombres. Leur somme est 36, et l'un des nombres est la somme des deux autres.

1	2	3	4
7	8	9	10
12	13	14	15
17	18	19	20

Combien y a-t-il de groupes différents dans cette grille ?

236 >> Concentration

Le défi consiste à remplir une grille 4 × 4 de façon qu'on puisse y lire les huit mots donnés. Les lettres qui composent un mot doivent être adjacentes horizontalement, verticalement ou diagonalement. La lettre B est déjà à la bonne place.

B			

BONNE	**NOTRE**	**CANON**	**NUIRE**
COTON	**ROUTE**	**CUITE**	**TOUTE**

Dans la grille, placez les lettres de façon qu'on puisse lire les huit mots donnés.

237 >> Le diagramme de Lucas

Lucas dessine le diagramme ci-après dans lequel il écrit 11 et 14. Il veut maintenant y placer 3, 4, 5, 7, 8, 10, 12 et 14. La somme des nombres de chaque rangée de deux ou trois carrés doit être égale à 22.

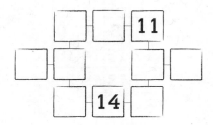

Complétez le diagramme.

238 >> Partage de pruneaux

Alors que nous entrions dans mon appartement après être allés à l'épicerie où nous avions chacun acheté des pruneaux, je dis à un ami:

– Il faudrait que tu me donnes le quart de tes pruneaux pour que j'en aie autant que toi. J'aurais alors 12 pruneaux.

Combien avions-nous de pruneaux ensemble en entrant dans l'appartement?

239 ➤➤ Casques de hockey

Dans ce pays rusé, la monnaie est le renard. Mélanie et Jasmin ont dépensé ensemble 80 renards pour acheter des casques de hockey.

– J'ai acheté, dit Mélanie, cinq casques de hockey de marque Alpha et trois casques de marque Bêta.

– Pour ma part, répond Jasmin, j'ai acheté trois casques de marque Alpha et cinq casques de marque Bêta.

Un casque de marque Alpha coûte 2 renards de moins qu'un de marque Bêta.

Combien Jasmin a-t-il dépensé de renards ?

240 ➤➤ Marche de la fourmi

Une fourmi se déplace en ligne droite. Elle avance de 3 mètres l'avant-midi. L'après-midi, elle revient sur ses pas en parcourant 2 mètres. Le soir et la nuit, elle se repose. Au 10e jour, à la fin de l'avant-midi, elle est arrivée à destination.

À quelle distance la fourmi est-elle de son point de départ ?

241 ➤➤ LES VÊTEMENTS DE PIERRE

Pierre achète quatre vêtements pour un montant de 129 écus. Il paie le gilet 8 écus de moins que la chemise ; il paie la chemise 7 écus de moins que le pantalon ; il paie le pantalon 19 écus de moins que la veste.

Quel est le coût de la veste ?

242 >> L'ÉLÉPHANT DE PATRICE

Patrice prend six pièces de 25 sous dans son éléphant. Il les assemble comme ci-après. Une à une, il accole d'autres pièces autour de la figure existante. Toutes les pièces doivent se toucher et former une première couronne.

Combien faudra-t-il de pièces de 25 sous pour produire une deuxième couronne?

243 >> Lapins pas comme les autres

Un couple de lapins peu productifs engendre quatre lapins annuellement. Les naissances ont lieu tous les trois mois et arrivent un 20, un 21 ou un 22.

Comment s'appellent les jeunes lapins?

244 >> VISITES DE QUARTIERS

Chaque semaine, France, Serge, Donald et Nathalie consacrent une soirée à des personnes seules de leur quartier. Chacun choisit un jour parmi les suivants : mercredi, jeudi, vendredi et samedi. France n'est pas disponible le vendredi ; Serge n'est pas disponible le samedi ; Donald n'est pas disponible le mercredi ; Nathalie n'est pas disponible le jeudi. La première semaine, l'horaire est le suivant :

mercredi : France
jeudi : Serge
vendredi : Donald
samedi : Nathalie

Pendant combien d'autres semaines les quatre amis pourront-ils faire leur visite tout en ayant un horaire différent d'une semaine à l'autre ?

245 >> Ascenseur en marche

Dans un édifice de 35 étages, le panneau d'un des ascenseurs contient les 35 numéros dans un rectangle de 7 numéros de haut et 5 de large. Le rez-de-chaussée est marqué 1. Les numéros sont disposés à partir du bas comme dans cet exemple :

11	12	13	14	15
6	7	8	9	10
1	2	3	4	5

Un jour, il y a trois personnes dans l'ascenseur. Élika remarque que la somme des trois numéros lumineux est 51 et que ceux-ci sont voisins en diagonale, par exemple (3, 7, 11) ou (3, 9, 15). De plus, le numéro de son étage est au centre des trois.

À quel étage demeure Élika ?

246 >> ACCENT D'ÉRIC

Plutôt que de bouder parce que sa mère lui a interdit de sortir, Éric a écrit cette phrase :

**ERIC
NE
DINE
NID
EN
CIRE.**

Qu'y a-t-il de particulier dans cette phrase ?

247 >> L'addition d'Inuk

Inuk utilise chacun des chiffres de 1 à 6 pour faire une addition de trois nombres de deux chiffres. La somme est un nombre de trois chiffres.

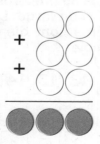

Quelle est la plus petite somme possible ?

248 ›› Le toutou de Nicole

Nicole a devant elle quatre cubes pesant respectivement 20, 40, 50 et 60 grammes. Son toutou en peluche a une masse de 130 grammes. Elle le place sur un des deux plateaux d'une balance.

Comment devra-t-elle placer les quatre cubes pour que la balance soit en équilibre ?

249 ›› NOUVELLE

Dans cette phrase, les mots sont séparés par des cases noires. Chaque lettre de l'alphabet correspond à un nombre. Quatre indices sont donnés : N = 2, T = 15, L = 22 et M = 26.

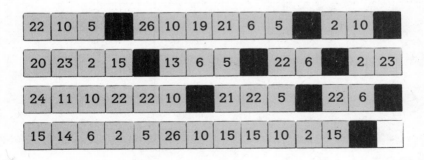

Déchiffrez la phrase.

250 >> Portraits-robots

Découpez neuf cartes de même grandeur. Dessinez les
figures suivantes:

Dans la grille ci-après, disposez les neuf cartes de façon
qu'on retrouve les yeux, le nez et la bouche comme il est
indiqué à gauche et en haut, et cela dans chaque rangée
horizontale et verticale.

	Yeux	Yeux	Bouche
Nez			
Bouche			
Nez			

251 >> Noisettes ailées

Dix-huit noisetiers ont poussé autour d'un rocher presque
carré. Sur chaque côté, on peut compter respectivement
trois, quatre, cinq et six arbres. Chaque noisetier lance trois
noisettes à chacun des arbres des trois autres côtés.

Combien de noisettes seront lancées?

252 ➤➤ Pièces accolées

Alain dessine quatre hexagones réguliers. Il découpe les quatre hexagones et les accole de façon que chacun touche à un autre au moins par un côté. Voici deux configurations possibles :

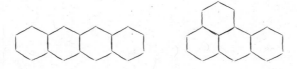

Trouvez trois autres configurations différentes.

253 ➤➤ Naissances triples

Des triplés sont nés dans la nuit du 31 décembre 2009 au 1er janvier 2010. L'un est né à 23 h 58 min 58 s ; un deuxième, à minuit tapant ; le troisième, à 0 h 01 min 01 s.

Combien d'entre eux sont nés en 2010 ?

254 ➤➤ CHATS ET CHIENS

Flore a deux chats et un chien.
Denise a un chat et trois chiens.

Les chats s'appellent Chaton I, Chaton II et Chaton III.
Les chiens s'appellent Fido I, Fido II, Fido III et Fido IV.

1. Chaton II est plus âgé que le chat de Denise.
2. Un des chats de Flore n'est pas Chaton I.
3. Chaton II et Fido IV logent sous le même toit.

Quels sont les noms des animaux de chacune des deux filles ?

255 >> LA GRILLE DE FABIEN

Dans les cases vides, Fabien a décidé d'écrire chacun des chiffres de 3 à 9 sauf 4 de façon que l'addition soit vraie. Le 8 et le 9 ne sont pas dans le même nombre.

Complétez la grille.

$$
\begin{array}{r}
3\ \square\ \square \\
+\ \square\ \square\ 7 \\
\hline
\square\ 6\ \square
\end{array}
$$

256 >> Au-devant de soi

Baissez légèrement les yeux,
vous voyez un morveux.
Depuis qu'il est né,
il ne cesse de fureter.
Il est à l'avant-garde
comme une écharde.

Qui est-il ?

257 >> JONGLERIE DE JULES

Jules jongle avec les chiffres. Il doit placer des nombres différents dans une grille 3 × 3 de façon que la somme des nombres de chacune des lignes et de chacune des colonnes soit identique, et que la somme des nombres des quatre coins soit 27. D'autres indices sont donnés en regard de chaque ligne.

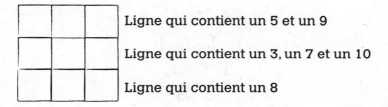

Ligne qui contient un 5 et un 9

Ligne qui contient un 3, un 7 et un 10

Ligne qui contient un 8

Remplissez la grille.

258 >> L'image d'Irma

Irma a dessiné la figure suivante dans laquelle 10 cases sont blanches :

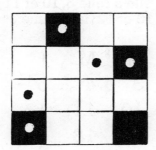

Dessinez l'image comme si on plaçait un miroir en haut de la figure.

259 >> Le téléphone de Gilles

Aujourd'hui, c'est l'anniversaire de Gilles. Son père a écrit les lettres de son prénom dans ce tableau. En accolant les lettres voisines, on peut lire GILLES un nombre de fois qui correspond à son âge.

G

I I

L L L

L L L L

E ☎ E

S S

Quel âge Gilles a-t-il?

260 >> Mois de juillet

Élisabeth découpe le calendrier d'un mois de juillet. Elle dessine des triangles rectangles qui passent par trois dates. Par exemple, elle a relié 3, 10 et 11; la somme est 24. Elle a aussi relié 6, 13 et 12; la somme est 31.

D	L	M	M	J	V	S
1	2	3	4	5	6	7
8	9	10	11	12	13	14
15	16	17	18	19	20	21
22	23	24	25	26	27	28
29	30	31				

Quelles sont les trois dates qui, réunies en un triangle rectangle, donnent une somme de 49?

261 >> Serge et fils

Étienne fait des projets d'avenir, pendant que son père Serge a déjà fait un bout de chemin. Aujourd'hui, Serge a le triple de l'âge de son fils. Il y a 5 ans, la somme de leur âge était de 54 ans.

Quel est l'âge de chacun?

262 >> Balcon de Richard

Richard se prépare à décorer son balcon. Il plante des piquets dans les coins d'un carré et les relie par des tiges. Il ajoute une tige en diagonale par carré. Par exemple, quand Richard plante 8 piquets, il a besoin de 13 tiges. Voici la représentation:

Combien Richard devra-t-il utiliser de tiges s'il plante 26 piquets en une rangée?

263 >> RENCONTRE D'AIGUILLES

Toutes les nuits, Éliza se réveille vers 3 h du matin. Elle prend un verre d'eau et se rendort aussitôt.

Quelle heure est-il quand les deux aiguilles d'un réveille-matin sont superposées sur le 3?

264 ›› Les codes de Joachim

Joachim est né le 8 du sixième mois de l'an 1986. Il en est fier. Il se dit : « Jamais je ne commettrai d'impairs, car mes nombres de naissance sont pairs. » Il a attribué un code aux nombres suivants :

$$472 : 21$$
$$7896 : 22$$
$$15\,862 : 32$$
$$276\,491 : 33$$

Quel est le code de 87 642 ?

265 ›› Triangles de boules

Chacun des numéros du premier triangle est inférieur d'un même nombre à un numéro du second triangle.

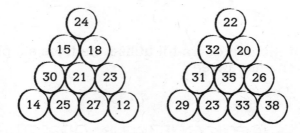

Quel est le nombre qui marque l'écart entre tout groupe de deux numéros des deux triangles ?

266 >> ACCIDENT À VENIR

Cette phrase a été écrite au son:

> KANTIL AN
> TRADENT
> LA METS
> ZON ILAN
> TANT DIUNE
> RAT PHALLE.

Déchiffrez la phrase.

267 >> Hilaire range

Hilaire a dessiné la figure ci-après dans laquelle chaque hexagone contient une lettre. Chaque lettre représente un chiffre différent. De plus, E = C + D.

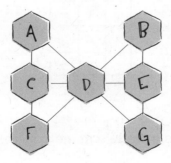

Placez les chiffres de 1 à 7 de façon que la somme soit 12 dans chacune des cinq rangées.

268 >> L'égalité de Caleb

Caleb écrit deux fractions. Il doit introduire un même nombre dans les deux cercles vides de façon que les deux fractions soient égales.

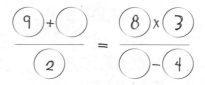

Quel est le nombre qui manque?

269 >> Souriante sourit

Souriante est en train de faire l'addition ci-après. Elle doit remplacer chaque symbole ☺ par un chiffre de 2 à 9, chacun pris seulement une fois. Par exemple, elle a trouvé : 29 + 34 + 58 + 67 = 188.

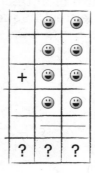

Quelle est la plus grande somme possible?

270 >> LES TRIANGLES DE JOSÉE

Josée a dessiné le triangle suivant dans lequel elle a tracé
un petit triangle inversé et une perpendiculaire à partir du
sommet.

Combien y a-t-il de triangles de toute grandeur dans ce
triangle ?

271 >> La bibliothèque de Louise

Lors de son déménagement, Louise a placé ses livres
dans une boîte qui contient au maximum 150 livres.
Sa fille décide de répartir le même nombre de livres sur
13 tablettes, mais à la fin, il lui reste 3 livres. Louise se
propose alors de recommencer en changeant le nombre de
livre et en utilisant 9 tablettes seulement. Pas de chance, 5
livres ne peuvent pas être classés.

Combien Louise a-t-elle de livres ?

272 >> Les croix de Joachim

Joachim trace des croix de même grandeur dans une grille 4 × 4 en suivant les lignes. Ces croix peuvent occuper huit positions différentes dont quatre sont données.

Quel est le plus grand nombre de croix de cette grandeur que Joachim pourra tracer dans une grille 5 × 5 ?

273 >> Cœurs bien reçus

On accuse parfois Luc d'être un voyou. Mais on n'oserait jamais dire de Lucette, de Lucie ou de Luce qu'elles sont des voyous au féminin. Lors de la dernière Saint-Valentin, les jumelles Lucette et Lucie ont reçu chacune trois cœurs. Leur cousine Luce a reçu deux cœurs.

Combien le cousin Luc a-t-il reçu de cœurs ?

274 >> TRÉSOR CACHÉ

Dans cette grille, Annie a caché un trésor. Celui-ci est à droite d'un agent de sécurité (triangle), à gauche d'un lion (carré) et au-dessus d'un érable (cercle vide).

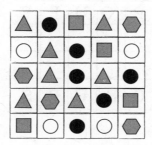

Où est caché le trésor?

275 >> Noé efface

Noé a écrit quatre nombres dont la somme est 1915. Il a effacé deux de ces nombres. L'un est le triple de l'autre.

$$
\begin{array}{r}
6\ 4\ 8 \\
+\ 2\ 7\ 9 \\
?\ ?\ ? \\
?\ ?\ ? \\
\hline
1\ 9\ 1\ 5
\end{array}
$$

Quels sont ces deux nombres?

276 >> De la poule aux œufs

Madame Lecoq écrit le mot POULE. D'une ligne à l'autre, elle change deux lettres à partir du mot précédent.

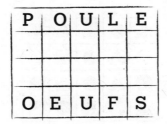

Formez deux mots de cinq lettres qui permettront de passer de POULE à ŒUFS.

277 >> Cahiers de jeux

Brigitte a acheté huit cahiers de nombres croisés numérotés de 002 à 009. Malheureusement, elle a égaré le numéro 008. Elle décide de répartir ses sept cahiers comme ci-après. Elle ne doit pas placer le 004 et le 005 dans la même rangée. La somme des numéros de chaque rangée doit être 16.

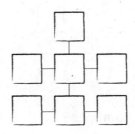

Répartissez les sept cahiers de Brigitte.

278 >> LES ORANGES D'IGNACE

Ignace a placé 12 oranges en un rectangle comme ceci :

Combien peut-on tracer de carrés qui relient quatre oranges ? Il y en a plus de six.

279 >> Les pruneaux de Joanie

Joanie prend deux boîtes vides marquées A et B. Quand elle place quatre pruneaux dans la boîte A, elle en place sept dans la B. À un moment, elle s'arrête et ajoute un même nombre de pruneaux par boîte. Il y a alors 24 pruneaux dans la boîte A et 36 dans la B.

Combien Joanie a-t-elle ajouté de pruneaux par boîte ?

280 >> Une bouffe

Francine, Grégoire, Hermione et Yvan sont assis autour d'une table ronde à quatre sièges. Francine l'aînée est toujours à sa place habituelle côté nord, tandis que les autres prennent des places différentes à chaque repas.

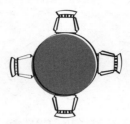

Combien y a-t-il de dispositions différentes si deux personnes sont en face l'une de l'autre une seule fois ?

281 >> Pourboires gagnés

Louise a récolté 135 centimes en pourboires en faisant des commissions. Elle compte ses pièces et dit :

– J'ai neuf pièces et au moins une de chaque valeur parmi les pièces suivantes :

Combien Louise a-t-elle de pièces de chaque valeur ?

282 >> SOMMEIL DE GENEVIÈVE

Geneviève a tracé une grille 4 × 6 comme ci-après. Avant de s'endormir, elle a l'intention de dénombrer les rectangles de toute grandeur.

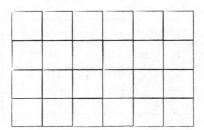

Combien y a-t-il de rectangles 2 × 3 dans cette grille ? Il y en a plus de 12.

283 >> En sandwich

Quand Éthan insère une tranche de fromage entre deux tranches de pain, on dit qu'il fait un sandwich. Quand, au hockey, Roxanne est encadrée par deux de ses adversaires, on dit qu'elle est prise en sandwich.

Que faut-il insérer entre 3 et 14 pour obtenir un nombre supérieur à 3 et inférieur à 14 ?

284 >> Alphonse surfe

Alphonse a fait un tableau indiquant le nombre d'heures pendant lesquelles il a navigué sur la toile au cours des six derniers mois.

Mois	Heures
Janvier	59
Février	51
Mars	44
Avril	38
Mai	33
Juin	29

Pendant combien d'heures Alphonse naviguera-t-il sur la toile en juillet si la tendance se maintient?

285 >> feu sans danger

Ray a construit avec de petits bâtons cette figure composée de 11 hexagones:

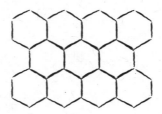

Combien Ray a-t-il utilisé de bâtons?

286 >> QUATUORS DE LETTRES

Dans cette figure, la somme de deux nombres de quatre
lettres est égale à un troisième nombre de quatre lettres.
Les cases noircies doivent contenir la même lettre.

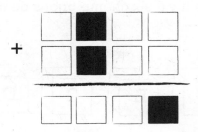

Quels sont ces trois nombres ?

287 >> On change

Le carré ci-après est magique. La somme est de 34 horizontalement, verticalement et diagonalement.

8	11	6	9
13	7	10	4
12	14	3	5
1	2	15	16

Intervertissez d'abord deux colonnes, puis de nouveau
deux autres colonnes pour obtenir un autre carré magique.

288 » Dans le sous-bois

Sylvie cueille 50 champignons et les répartit dans 4 boîtes.

Dans la boîte A, il y a un champignon de plus que dans la C.
Dans les boîtes B et D, il y a 33 champignons en tout.
Dans la boîte A, il y a six champignons de moins que dans la B.

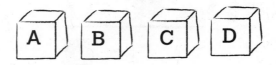

Combien y a-t-il de champignons dans chaque boîte ?

289 » Tortue des Galápagos

La tortue des îles Galápagos peut vivre jusqu'à 200 ans. Dans une lointaine galaxie, on a trouvé un spécimen qui dépasse cet âge. Il a vécu GAL ans. Pour trouver l'âge, on doit faire l'addition ci-après. Chaque lettre représente un chiffre différent. Dans ce cas-ci, U = 4, R = 9 et A = 2. Il n'y a ni 0 ni 8.

$$
\begin{array}{r}
T\,O\,R \\
+\ T\,U\,E \\
\hline
G\,A\,L
\end{array}
$$

Quel est l'âge de ce spécimen ?

290 >> LES DOMINOS DE MARTIAL

Martial prend six dominos: (0, 5), (1, 2), (1, 4), (2, 3), (3, 5) et (3, 6). Il veut les placer dans le tableau ci-après. La troisième rangée horizontale est la somme des dominos des deux rangées supérieures comme dans une addition ordinaire. Trois demi-dominos sont déjà à la bonne place.

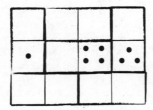

Disposez les six dominos.

291>> Espadrilles en demande

Julie et Geneviève ont ensemble 11 paires d'espadrilles. Christian et Mickaël ont ensemble 11 paires d'espadrilles. Julie et Mickaël ont ensemble 12 paires d'espadrilles. Christian a quatre paires d'espadrilles de plus que Geneviève.

Respectivement, combien Christian et Geneviève ont-ils de paires d'espadrilles?

292 >> Tords-tu ?

Une tortue part de la case T et se dirige vers la case U en passant par le centre des cases. Elle doit toujours se déplacer vers le haut ou à droite, jamais en arrière, vers le bas ou en diagonale.

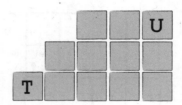

Combien y a-t-il de chemins différents ?

293 >> Marche en forêt

Réal fait souvent des randonnées dans la forêt non loin du chalet de ses parents. Un jour, il voit un boisé circulaire de 800 mètres de diamètre. Après y être entré du côté sud, il réalise qu'il est rendu à 100 mètres du centre du boisé.

Quelle est la distance minimale qu'il devra parcourir pour atteindre l'orée du boisé ?

294 >> AVERSE DE NEIGE

Rino a noté, par des cloches, la quantité de neige tombée
en janvier dernier, sauf le 24. Chaque cloche représente 2
centimètres. Cette quantité augmente selon une certaine
logique.

2 janvier :

6 janvier :

10 janvier :

18 janvier :

24 janvier : ? ? ?

Combien de centimètres de neige sont tombés le 24 janvier ?

295 >> Les anagrammes de Louis

Louis donne trois mots à ses amis et leur demande d'en
trouver trois autres en utilisant les mêmes lettres. Voici les
mots qu'il a donnés :

P	O	S	E	U	R
	☎				☎

T	E	R	M	I	N	A
		☎		☎		

O	B	T	E	N	A	N	T
		☎		☎		☎	

Le téléphone indique que la lettre du mot cherché est à
la bonne place. Aucune voyelle n'est en première ou en
dernière position.

Trouvez les trois mots.

296 >> Les mots de Venant

Venant a formé les lettres ci-après avec des bâtonnets de même longueur :

CEFHILOPSU

De ces lettres, il en choisit quatre pour former un mot :

• Les deux premières lettres du mot sont dans la seconde moitié de l'alphabet ; les deux autres sont dans la première moitié.
• Il faut 19 bâtonnets pour écrire ce mot.
• C'est un mot qui saute.

Quel est ce mot ?

297 >> Les jetons de Rodolphe

Rodolphe prend huit jetons numérotés de 5 à 12. Il veut les disposer sur la figure ci-après. Des indices sont donnés dans quatre cellules. A et B ont des valeurs différentes.

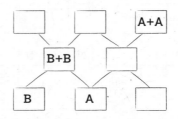

Disposez les jetons de façon que la somme soit 26 dans chacune des quatre rangées.

298 » IMPAIRS DE CÉDRIC

Cédric écrit les quatre plus petits nombres impairs : 1, 3, 5 et 7. Il fait leur somme et obtient 16. Puis il extrait la racine carrée de 16 qui est 4.

Quelle est la racine carrée de la somme des 24 plus petits nombres impairs ?

299 » Éva voyage

Deux ou trois fois par année, Éva fait un voyage. À ce jour, elle a fait VA voyages. Chaque lettre représente un chiffre différent. Dans ce cas-ci, G = 0 et E = 6.

$$
\begin{array}{r}
V\ O\ Y \\
+\ A\ G\ E \\
\hline
E\ V\ A
\end{array}
$$

Combien Éva a-t-elle fait de voyages ?

300 >> Au coeur d'Estelle

Dans une grille 8 × 8, Estelle remplit un carré intérieur avec des chiffres de 1 à 8. Elle dit à son amie :

– Écris des chiffres de 1 à 8 dans les rangées périphériques de façon que les chiffres soient différents sur chaque ligne, chaque colonne et chaque diagonale.

		4	3	6	5		
		5	6	3	4		
		8	7	2	1		
		1	2	7	8		

Complétez la grille.

301 >> Pour le plein air

Dans un magasin à grande surface, Charlotte visite le rayon plein air. Elle compte 37 roues en tout pour les bicyclettes et les tricycles. Dans les jours suivants, huit bicyclettes et deux tricycles sont vendus. Il y a alors un nombre égal de bicyclettes et de tricycles.

Combien y avait-il de bicyclettes et de tricycles dans ce magasin lors de la première visite de Charlotte ?

302 >> Boums de Tania

Pour Tania, un boum est un côté d'un petit carré qui touche à deux carrés. Dans une grille 3 × 3 comme ci-après, elle a compté 12 boums.

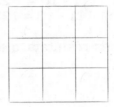

Combien y a-t-il de boums dans une grille 6 × 6 ?

303 >> Promesse d'élection

Midas avait promis de voter pour le candidat A, mais il a voté pour le B. Or, B a gagné par une voix.

Pour qui le président d'élections aurait-il voté si Midas avait tenu sa promesse ?

304 >> PROMENADE D'ÉLÉPHANTS

Quatre éléphants passent dans la rue.
La trompe de Dakka est moins longue que celle de Trika.
La trompe de Ponka est plus longue que celle de Myrka.
La trompe de Trika est moins longue que celle de Ponka.

Quel éléphant a la plus longue trompe ?

305 >> Unités de Martine

Martine fait successivement les opérations suivantes :

$$11 \times 11 - 10 = 111$$
$$111 \times 111 - 10 = 12\,311$$
$$1111 \times 1111 - 10 = 1\,234\,311$$
$$11\,111 \times 11\,111 - 10 = 123\,454\,311$$

En vous basant sur ces résultats, quel est le carré de 11 111 111 ?

306 >> Défi de mots

Grégoire a préparé une grille 5 × 5 dans laquelle il doit composer des mots croisés. Son frère lui donne une à une 21 lettres et lui permet de noircir quatre cases. Grégoire a réussi la grille ci-après dans laquelle UC et ER ne sont pas des mots. CRÉ est accepté comme un mot québécois. Chaque lettre d'un mot accepté compte pour un point. Les points attribués dans la grille de gauche sont inscrits à droite et en bas pour un score de 32.

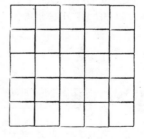

F	R	E	L	E	5
U		I	O	N	3
T	E		U	C	2
E	N		E	R	2
S		C	R	E	3
5	2	0	5	5	32

Remplissez la grille de droite en utilisant chacune des 21 lettres et en noircissant quatre cases afin d'obtenir un résultat plus élevé.

307 >> LA DISTRACTION DE CLAUDIE

Dans un carré 3 × 3, Claudie a écrit neuf nombres comme ci-après. Quand on additionne le premier et le troisième nombre de chacune des huit rangées de trois nombres (horizontale, verticale et diagonale) et qu'on retranche le deuxième nombre, le résultat est 9.

6	8	11
4	9	14
7	10	12

Dans la grille suivante, trouvez les nombres qui manquent pour que le résultat soit 12 dans chaque rangée.

		6
14		
		16

308 >> Jour de la semaine

Nous sommes le 308e jour d'une année ordinaire. Le 208e a été un dimanche.

Quel jour de la semaine sommes-nous?

309 ›› Golf de Martine

Martine prend huit balles de golf et les numérote de 2 à 9.
Elle place les balles 2 et 7 dans les trous indiqués.

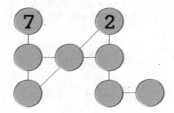

Placez les autres balles de façon que la somme des numéros soit 15 dans chaque rangée de deux ou de trois trous reliés par une droite.

310 ›› Voyage en étoiles

Laurette a dessiné 13 étoiles comme ci-après. Elle cherche un chemin qui part de l'étoile inférieure gauche et qui se termine à l'étoile supérieure droite, en passant par chacune d'elles au moins une fois. Chaque trait en ligne droite doit toucher à exactement trois étoiles. Le déplacement peut se faire horizontalement, verticalement ou diagonalement.

✳		✳	★	☆
★	☆	☆	★	☆
★	✳	✳		✳

Trouvez un tel chemin.

311 >> LES MOUTONS D'ÉLISE

Sur la grille de gauche, Élise dispose six moutons: deux blancs (B), deux noirs (N) et deux roses (R). Un mouton peut se déplacer horizontalement, verticalement ou diagonalement toujours en sautant par-dessus un autre mouton.

N	R		
	B		
		B	
		R	N

	N	R	
N	R	B	
	B		

Déplacez les moutons de façon à obtenir la disposition de droite.

312 >> Les tétrominos de Luc

Luc découpe quatre petits carrés de même grandeur. Il les assemble côté par côté. Il produit ces deux configurations:

Julie lui dit:

– Il existe trois autres configurations avec quatre carrés.

Trouvez ces autres configurations.

313 >> La glissade d'Irénée

Irénée a placé cinq jetons numérotés de 1 à 5 sur la figure suivante. Il peut glisser un à un les jetons sur tout cercle vide en occupant au besoin celui du centre.

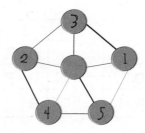

Déplacez les jetons de façon que, à la fin, ceux-ci apparaissent en ordre croissant dans le sens des aiguilles d'une montre.

314 >> Cueillette de pommes

L'automne est là avec ses pommes. Sandra a reçu 3 sacs contenant respectivement 4, 7 et 13 pommes. Elle doit faire des sacs contenant chacun huit pommes.

– Pour ce faire, dit sa sœur, à chaque opération tu dois doubler le nombre de pommes dans un sac en prenant ces pommes dans un autre sac. Par exemple, s'il y a cinq pommes dans un sac et trois dans un autre, tu peux prendre trois pommes dans le premier sac et les mettre dans le second qui aura alors le double de pommes, soit 6 pommes.

Quelles opérations Sandra devra-t-elle faire pour obtenir trois sacs contenant huit pommes chacun?

315 >> LE TRIANGLE DE CARMEN

Carmen a écrit les nombres de 1 à 16 en un triangle comme ci-après. Puis elle continue d'écrire les nombres selon la même régularité. Le premier nombre de chaque ligne est le même que le dernier de la ligne précédente.

$$1$$
$$1 \quad 2$$
$$2 \quad 3 \quad 4$$
$$4 \quad 5 \quad 6 \quad 7$$
$$7 \quad 8 \quad 9 \quad 10 \quad 11$$
$$11 \quad 12 \quad 13 \quad 14 \quad 15 \quad 16$$

Quel est le nombre qui devrait apparaître au milieu de la 11e ligne ?

316 >> Message de saison

Dans cette phrase, les mots sont séparés par des cases noires. Chaque lettre de l'alphabet correspond à un nombre. Quatre indices sont donnés : P = 4, L = 6, A = 7 et N = 11.

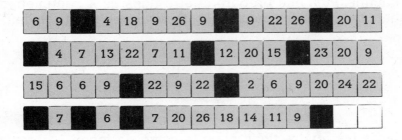

Déchiffrez la phrase.

317 >> Amie des enfants

Tante Clémentine reçoit huit enfants dans son sous-sol. Afin de leur faire faire un jeu, elle attribue à chacun un numéro de 1 à 8. Puis elle leur dit où se placer pour que la somme des numéros soit 13 dans chacune des trois rangées. Les enfants se placent comme elle l'a demandé. Mais pendant qu'elle fouille dans la boîte de jeux, deux couples d'enfants échangent leurs places respectives.

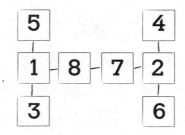

Remettez les enfants à la bonne place de façon que la somme des numéros soit 13 dans chacune des trois rangées.

318 >> Trois dans un

Mélina forme un carré avec quatre tiges de 6 centimètres chacune. Puis elle prépare quatre tiges de 4 centimètres chacune. Ces tiges peuvent se chevaucher en leur milieu.

Placez les quatre tiges dans le carré de façon à obtenir trois petits carrés.

319 >> À UN CARREFOUR

Claudie est tombée dans un cul-de-sac. Elle écrit l'addition suivante. Chaque lettre représente un chiffre différent. Toutefois, aucune lettre ne vaut 5 ou 8.

$$
\begin{array}{r}
R\,U\,E \\
+\,R\,U\,E \\
+\,R\,U\,E \\
\hline
1\,U\,6\,9
\end{array}
$$

Quel est le triple de RUE ?

320 >> Les dominos de Marie-Anne

Marie-Anne prend ces huit dominos : (1, 3), (1, 6), (2, 2), (2, 4), (2, 5), (3, 3), (3, 4) et (3, 5). Elle désire placer les huit pièces de façon à obtenir une somme de 14 sur chaque côté du carré ci-après. Cinq demi-dominos sont déjà à la bonne place.

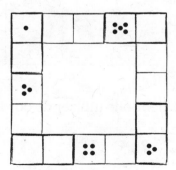

Disposez les huit dominos.

321 >> Le salaire de Claude

Pendant un certain nombre de jours, Claude a gagné 6 pistoles l'heure en travaillant comme surveillant. Plus tard, il a travaillé pendant 21 jours, mais il ne veut pas déclarer son salaire horaire. On est certain qu'il est de 7 ou de 8 pistoles. À la fin, Claude fait le compte de ce qu'il a gagné. Il est capable de répartir également ce montant entre ses trois filles.

Pourquoi le montant total gagné peut-il être partagé également en trois parties même si certaines données manquent ?

322 >> Par deux ballons

Sur une table, Marielle a disposé six ballons comme ci-après. Elle relie par une corde chaque ballon à chacun des autres. Aucun ballon n'est sur une même droite.

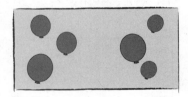

Combien Marielle peut-elle utiliser de cordes au maximum ?

323 >> MAMMIFÈRE QUI BROUTE

Quand Yvette était à l'école, l'institutrice avait demandé ce qu'était un mammifère. Yvette avait répondu : « C'est un animal qui broute au moyen de mamelles. » Aujourd'hui, il lui arrive de dire parfois MAMMIFÈRE quand elle entreprend de nouvelles tâches.

Que veut dire Yvette quand elle prononce ce mot ?

324 >> Cachette sur roue

Un voleur s'est introduit dans un autocar. En tout, 12 sièges sont occupés. Sur chaque banquette de deux personnes, une dit la vérité, et l'autre ment.

01 Le 07 est le voleur.	02 Je ne suis pas le voleur.
03 Le 10 dit la vérité.	04 Je ne suis pas le voleur.
05 Je sais qui est le voleur.	06 Je suis le voleur.
07 Je ne suis pas le voleur.	08 Le 03 dit la vérité.
09 Je ne suis pas le voleur.	10 Je suis le voleur.
11 Le 05 est un menteur.	12 Le 02 est le voleur.

Qui est le voleur ?

325 >> Nombres croisés

D'après les indications données, remplissez la grille en plaçant un chiffre par case comme dans des mots croisés.

Horizontalement

A. Le carré d'un nombre impair – Le produit de deux nombres consécutifs.
B. Les chiffres sont 0, 2 et 4 – Les chiffres sont 4 et 6.
C. La somme des chiffres est 4.
D. Un nombre formé de trois chiffres pairs consécutifs en ordre croissant.
E. Chacun des chiffres est la moitié du précédent.
F. Chacun des trois groupes de deux chiffres voisins a une somme de 10.

Verticalement

A. Quatre chiffres consécutifs en ordre croissant.
B. Un multiple de 10 dont la somme des chiffres est 10 – Le carré d'un nombre impair.
C. Le carré d'un nombre qui se termine par 0 – Le second chiffre est le double du premier.
D. La somme des chiffres est 7.
E. Les chiffres sont 4 et 5 – Les chiffres sont 1, 4 et 6.
F. Quatre chiffres pairs identiques.

326 ▶▶ Choix de bouffe

Mon premier est une consonne du quatrième quart.
Mon deuxième est une consonne à la frontière du premier
et du deuxième quart.
Mon troisième est un adjectif possessif de deuxième part.
Mon quatrième est nul comme part.

Mon tout n'aime du bœuf aucune part.

Qui suis-je ?

327 ▶▶ Espoir d'Émilie

Émilie a dessiné un E. Elle a formé quatre rangées de trois
cases et une de deux cases. Dans une case, elle a écrit 4 et,
dans une autre, 10. Elle désire placer 1, 2, 3, 5, 6 et 8 dans
les autres cases.

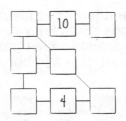

Complétez la figure de façon que la somme soit 13 dans
chaque rangée.

328 ▶▶ PAUVRE PICO T

Pico T est un adolescent
qui mérite bien son nom.
Quelle maladresse !
Au cours d'une excursion en forêt,
il tombe dans le lac nez dans l'eau.

Que peut-on voir sur le visage de Pico T ?

329 >> Presque l'enfer

Constance sait que le triple FER est bien proche de ENFER. Pour ne pas l'oublier, elle a écrit l'addition ci-après. Chaque lettre représente un chiffre différent. Dans ce cas-ci, N = 1.

$$
\begin{array}{r}
F\,E\,R \\
+\,F\,E\,R \\
+\,F\,E\,R \\
\hline
E\,N\,F\,R
\end{array}
$$

Quelle est la valeur de FER ?

330 >> Les jetons de françois

François découpe sept jetons et les numérote de 11 à 17. Il veut placer les jetons sur la figure ci-après de façon que la somme des trois cercles reliés par une droite soit 42. Les jetons 10 et 18 sont déjà à la bonne place.

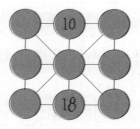

Disposez les sept jetons.

331 >> HÔTEL DE REPOS

Eugénie a loué la chambre 505 dans un hôtel de 10 étages. Sur chaque étage, on trouve le même nombre de chambres qui sont les unes en face des autres de chaque côté d'un corridor. La chambre 501 est à l'extrémité. Les numéros se suivent d'un même côté, puis, au bout du corridor, ils continuent de se suivre dans le sens contraire, si bien que 501 est en face du dernier numéro de l'étage.

Combien y a-t-il de chambres dans cet hôtel si la chambre 514 est en face de celle qu'Eugénie a louée ?

332 >> Peuplier accompagné

Six piquets sont plantés autour d'un peuplier. Chaque piquet se trouve à 4 mètres de l'arbre. De plus, les six piquets sont à égale distance les uns des autres.

Gilbert installe un fil qui passe par chaque piquet. Une mouche part d'un piquet et suit le fil. Elle s'arrête au piquet qui est en face du point de départ.

Quelle est la distance parcourue par la mouche ?

333 >> SALON COLORÉ

Votre oncle a confiance en vous. Il vous donne une carte en vous disant de faire tout ce que vous voulez pour décorer son salon.

Quelle est la couleur de la carte qu'il vous donne ?

334 >> Au badminton

Estelle, Marie-Hélène et Sabrina ont joué en tout cinq parties de badminton. Estelle a rencontré Marie-Hélène pour la première partie. Sabrina, qui n'avait pas encore joué, s'est mesurée à la gagnante pour la deuxième partie. Ensuite, celle qui était en attente a remplacé la perdante.

1. Sabrina a gagné la deuxième partie.
2. Estelle a gagné seulement la troisième partie.
3. Marie-Hélène a gagné exactement deux parties.

Qui a gagné la cinquième partie ?

335 >> Cachettes de Julien

Julien s'est mis à compter les triangles de toute grandeur cachés dans la figure ci-après. Arrivé à 12, il s'est arrêté pour se désaltérer.

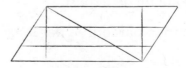

Combien peut-on compter de triangles de toute grandeur dans cette figure ?

336 >> SÉJOUR BIZARRE

Alors que, pendant les vacances, il était sur la plage,
Dominico a écrit:

Dîmes,
l'un en a marre
sur la mer.
C'est comme un jeu
que vend Sam.

Qu'y a-t-il de particulier dans cette phrase?

337 >> Les trapèzes de Suzanne

Suzanne découpe huit trapèzes et les numérote de 1 à 10,
sauf 7 et 9. Elle veut disposer ses trapèzes sur la figure
ci-après de façon que la somme des nombres de chaque
rangée de trois trapèzes soit égale à 16. Le trapèze numéro
2 est déjà à la bonne place.

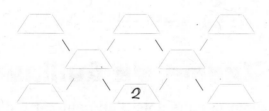

Trouvez une façon de disposer les trapèzes.

338 >> POULES PARESSEUSES

Pour Bruno, Josée et Sylvie, les petits-déjeuners sont heureux quand les œufs sont là. Aussi, ils ont décidé de s'acheter chacun une poule.

• La poule de Bruno pond un œuf en deux jours.
• La poule de Josée pond deux œufs en trois jours.
• La poule de Sylvie pond trois œufs en quatre jours.

Combien de jours seront nécessaires pour que les poules pondent 23 œufs ?

339 >> Mots croisés

Dans cette grille 4 × 4, écrivez en lettres 1, 7, 8 et 11 comme dans des mots croisés.

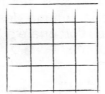

340 >> Zooms de Guillaume

Pour Guillaume, chaque côté d'un petit carré d'une grille est un zoom. Dans une grille 3 × 3, il a compté 24 zooms.

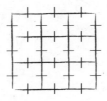

Combien y a-t-il de zooms dans une grille 6 × 6 ?

341 >> RÉSERVE ÉPUISÉE

Joséanne a acheté 10 pommes un vendredi, puis elle en a donné une. Elle a acheté neuf pommes le jour suivant, puis elle en a donné deux. Le dimanche, elle en a acheté huit, puis elle en a donné trois. Elle continue ainsi chaque jour en achetant une pomme de moins et en donnant une pomme de plus. À un moment donné, Joséanne n'aura plus de pommes.

Quel jour de la semaine la réserve de pommes sera-t-elle épuisée ?

342 >> Le sable d'Olivier

Pendant que le jeune Olivier joue dans son carré de sable, Julia trace trois carrés de même grandeur. Elle les partage chacun en deux triangles par une diagonale. Elle découpe les six pièces. Puis elle les accole côté par côté pour obtenir un rectangle comme celui-ci :

Déplacez deux pièces de façon à obtenir une figure qui a cinq côtés.

343 >> PÊCHES ET FLORINS

Avant d'aller à la pêche, Maryse se rend à l'épicerie. Si elle achète 12 pêches, il lui manque 8 florins. Si elle achète 8 pêches, il lui reste 12 florins.

Combien coûte une pêche ?

344 >> Tuyaux liquides

Trois machines distributrices sont alignées le long d'un mur. Derrière ce mur, quatre fontaines à boisson gazeuse alimentent les machines. Une distributrice est alimentée par deux tuyaux ; une deuxième, par trois tuyaux ; la troisième, par quatre tuyaux. Aucun tuyau ne doit s'entrecroiser ou passer devant les machines.

Reliez les fontaines à boisson gazeuse aux distributrices.

345 >> Doubles trios

Maude écrit les nombres suivants dans cet ordre.
Elle place un signe = au milieu d'eux.

$$2 \quad 3 \quad 4 = 5 \quad 6 \quad 6$$

Insérez un signe +, −, × ou ÷ entre les nombres de façon que l'égalité soit vraie.

346 » ON ARTICULE

Mon premier est avant le fils.
Mon deuxième débouche avec bruit.
Mon troisième est en coquet.

Mon tout répète sans arrêt.

Qui suis-je ?

347 » Coins de fleurs

Angélie a planté des fleurs dans les coins du carré ci-après.
Le nombre de fleurs y est indiqué. Elle place des pots au
centre des côtés et s'apprête à y planter d'autres fleurs.
Les deux pots voisins d'un coin doivent contenir le même
nombre de fleurs qu'indiqué dans celui-ci.

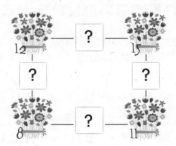

Combien Angélie devra-t-elle planter de fleurs en tout
dans les quatre pots qui se trouvent au centre des côtés ?

348 >> Les timbres de Lucien

Lucien se vante à l'école qu'il a maintenant plus de 100 timbres d'Espagne. Après les avoir comptés de nouveau, il s'aperçoit qu'il en a moins de 100. D'ailleurs, pour se faire pardonner, il dit à son meilleur ami :

– Tu ne le croiras pas, mais mon nombre est un ami des 7. Après lui avoir soustrait 7, j'obtiens un entier divisible par sept nombres d'un chiffre.

Combien Lucien a-t-il de timbres d'Espagne ?

349 >> Mathématiques récréatives

Corinne a écrit les additions ci-après. Chaque lettre représente un chiffre différent. Dans ce cas-ci, C = 5 et H = 3.

$$
\begin{array}{ccccccc}
C\,L & + & U\,O & = & R\,H\,E \\
+ & & + & & + \\
M\,A & + & T\,H & = & R\,C\,U \\
\hline
R\,R\,M & & R\,U\,R & & L\,O\,U
\end{array}
$$

Son frère trouve la valeur de chaque lettre. Puis il écrit le nombre qui correspond à RÉCRÉOMATH.

Quelle est la somme des chiffres de ce nombre ?

350 >> LOTERIE MAGIQUE

Une nouvelle carte de loterie a vu le jour. On y trouve une grille 4 × 4 dans laquelle les quatre cases vides doivent recevoir 3, 5, 9 et 11. Chaque paire de deux cases ayant la même couleur (pique, cœur, carreau, trèfle) a une somme de 17. Tous les nombres de la grille sont différents. On peut valider la carte en trouvant les nombres qui manquent.

Complétez la carte de façon que la somme des nombres de chaque rangée de quatre cases soit 34.

351 >> Les billots de Généreux

Généreux coupe 21 billots par jour pendant 21 jours. Quand il a terminé, il veut faire des piles de billots. Son père lui dit :

– Je voudrais que tu partages tes billots de façon que le nombre de piles soit un carré et que le nombre de billots soit aussi un carré.

Comment se fera ce nouveau partage si Généreux veut faire le moins de piles possible ?

352 >> LES BÂTONS DE GUILDAS

Guildas a assemblé de petits bâtons pour former 12 petits carrés. Il s'intéresse au comptage de carrés de toute grandeur, en particulier aux carrés 2 × 2.

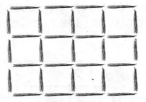

Combien de petits bâtons au minimum doit-on enlever pour que le nombre de carrés 2 × 2 soit réduit à 0 ?

353 >> Deux par deux

SIX est un nombre d'un chiffre qui se termine par X. DIX est un nombre de deux chiffres qui se termine par X. CENT SIX est un nombre de trois chiffres qui se termine par X.

Quel est le nombre de deux chiffres qui contient le plus de lettres et qui finit par X ?

354 >> Élection à la présidence

L'assemblée des élèves souhaite pourvoir le poste de la présidence en faisant une élection. Les quatre candidats sont : Alain, Caroline, Isabelle et Jérémie.

1. Alain, Caroline et Isabelle ont obtenu ensemble 60 votes.
2. Caroline, Isabelle et Jérémie ont obtenu ensemble 69 votes.
3. Alain, Caroline et Jérémie ont obtenu ensemble 66 votes.
4. Caroline a obtenu 12 votes de plus que Jérémie.

Qui a gagné l'élection ?

355 >> NOMBRES BROUILLÉS

Les chiffres qui doivent apparaître sur chaque ligne et dans chaque colonne de la grille sont donnés.

	E	F	G	H
A				
B				
C				
D				

Horizontalement	Verticalement
A : 1 2 3 6	E : 2 3 5 9
B : 0 4 6 9	F : 0 3 6 7
C : 1 5 7 8	G : 1 2 6 7
D : 2 3 4 7	H : 1 4 4 8

Remplissez la grille.

356 >> Casquette heureuse

C'est une histoire invraisemblable où les gros mots doivent sûrement bien s'entendre entre eux. Adossé au SAPIN, le LAPIN se mit à parler LATIN. Tôt le lendemain MATIN, il vit sa casquette débuter dans un nouveau métier.

Quel est le métier du lapin à la casquette ?

357 >> PERSONNAGES COMIQUES

Enrico, Floriane, Gratien et Hermione dessinent 70 personnages comiques en tout.

- Quand Gratien dessine quatre personnages, Hermione en dessine cinq.
- Quand Floriane dessine trois personnages, Gratien en dessine quatre.
- Quand Enrico dessine deux personnages, Floriane en dessine trois.

Combien chacun a-t-il dessiné de personnages ?

358 >> Gousset à demi

Depuis deux semaines, Dalia remplit les tablettes dans une épicerie. Ses parents sont très pauvres. Aussi, elle leur a donné les 3/5 de sa paie.

Quelle fraction de sa paie Dalia peut-elle encore dépenser pour qu'il lui reste la moitié de ce qu'elle a donné ?

359 >> Zigzaguer

Une mouche qui aime marcher en zigzag part du cœur et se déplace obliquement vers le bas sans jamais revenir en arrière. Elle s'arrête sur un des Z de la ligne inférieure.

$$Z \quad Z \quad \heartsuit \quad Z \quad Z$$
$$Z \quad Z \quad Z \quad Z \quad Z$$
$$Z \quad Z \quad Z \quad Z \quad Z$$
$$Z \quad Z \quad Z \quad Z \quad Z$$
$$Z \quad Z \quad Z \quad Z \quad Z$$

Combien la mouche peut-elle emprunter de chemins?

360 >> LE PARC D'ANTONIN

Un parc mesure 9 kilomètres de largeur et 12 kilomètres de longueur. Antonin doit partager ce parc en sept terrains: trois de forme carrée de même grandeur et quatre de forme rectangulaire de même grandeur. Chaque côté d'un terrain doit être exprimé par un nombre entier.

Partagez le parc.

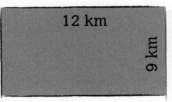

361 >> Le tableau de Yan

Yan a produit le tableau suivant dans lequel chaque lettre représente un chiffre différent. Pour trouver les nombres de la deuxième ligne, dans chaque colonne on additionne 2 à ceux de la première ligne. Pour trouver les nombres de la troisième ligne, on soustrait 3 à ceux de la deuxième ligne. Dans chaque case contenant un point d'interrogation, un nombre a été effacé.

1er nombre	A	?	D	?	?
Nombre + 2	F	D	C	E	?
Nombre - 3	6	B	10	F	E

Quels sont les quatre nombres qui manquent?

362 >> Les croix de Gino

Dans une grille 4 × 4, Gino a tracé quatre croix comme ci-après. Celles-ci occupent des positions différentes et ce sont les quatre seules positions possibles.

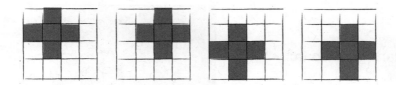

Dans une grille 5 × 5, combien Gino pourra-t-il tracer de croix ayant des positions différentes?

363 >> LES MOTS DE JUSTINE

Justine a d'abord rempli une grille 8 × 8 en inscrivant des mots comme dans des mots croisés. Au lieu d'écrire des définitions, elle a donné les lettres en désordre.

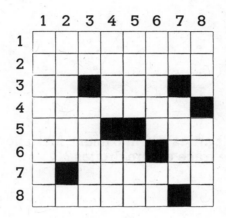

Horizontalement

1. A E E I S S T T
2. C E I O R R T U
3. A N – E E R
4. A A D E N R S
5. E E T – E S S
6. D E E M R – I R
7. E O R S S U
8. E E N R S T

Verticalement

1. A A C D E E I M
2. A E N O S T
3. S U – E N N O R
4. E I R S – D E U
5. E E R T – E R S
6. E I R S T – S T
7. E T – A E E R
8. E E R – E I S S

Remplissez la grille.

364 >> Les parts de Marielle

Marielle découpe trois cercles dans du papier de couleur. Elle les partage en traçant des droites comme ci-après. Elle compte alors le nombre de parties.

Combien de parties au maximum Marielle pourra-t-elle réaliser si elle trace quatre droites ?

365 >> Vers l'an prochain

En se levant ce matin, Clémentine a regardé le calendrier. C'est le dernier jour de l'année. Pendant cette dernière année, elle a fêté son 88e anniversaire de naissance. C'était un beau dimanche ensoleillé. Son petit-fils qui demeure à Halifax, dans le nord de l'Angleterre, s'était déplacé pour la circonstance. C'était le huitième jour du huitième mois.

Quel est le jour de la semaine de ce 31 décembre ?

>> SOLUTIONS...

SOLUTION 1

Selon le nombre d'enfants, le tableau suivant donne le total de becs donnés :

Enfants	1	2	3	4	5	6	7	8	9
Becs	2	5	9	14	20	27	35	44	54

Le plus petit nombre divisible par 6 est 54.
On fait : 54 ÷ 6 = 9. Neuf petits-enfants sont présents.

Solution 2

Julie et son frère devront partir de la table en bas à gauche pour terminer leur périple à la droite de la table de départ ou le faire en ordre inverse.

SOLUTION 3

Oui, la racine carrée, la racine cubique, etc.

Solution 4

La somme des nombres par ligne décroît : 17, 16, 15. Pour le 8 de trèfle, la somme devrait être 14. Il manque 6. Les quatre couleurs (cœur, carreau, pique, trèfle) doivent apparaître dans chaque colonne. Il manque le carreau. Le 8 de trèfle accompagne le 6 de carreau.

Solution 5

Il est GÉOMÈTRE. On peut lire ce mot à partir du G en bas et en liant les lettres dans le sens contraire des aiguilles d'une montre.

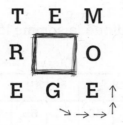

SOLUTION 6

Melchior a apporté l'encens (indices 1 et 3). Balthazar n'a pas apporté la myrrhe (indices 2 et 4). C'est Balthazar qui a apporté l'or.

Solution 7

Si on prend le plus petit numéro (4) et le plus grand (9), on obtient une somme de 13. Si on prend le deuxième numéro (5) et l'avant-dernier (8), on obtient encore une somme de 13. On complète le centre avec 7. On peut disposer les boules ainsi :

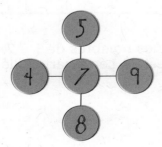

Solution 8

MARTEAU.

Solution 9

Le tableau suivant indique la somme lorsque la valeur du chat varie de 1 à 9 :

Chat	1	2	3	4	5	6	7	8	9
Somme	13	26	39	52	65	78	91	104	117

Deux chiffres identiques apparaissent lorsque le chat vaut 1, 2, 3 ou 5. Quand le chat vaut 8 ou 9, la somme est un nombre de trois chiffres. Le cadenas fermé peut prendre trois valeurs différentes : 5, 7 et 9.

SOLUTION 10

Le tableau suivant indique le total des cœurs barbouillés par rangée :

Rangée	2e	3e	4e	5e	6e	7e	8e
Coeurs	1	1	2	2	3	3	4

Rangée	9e	10e	11e	12e	13e	14e	15e
Coeurs	4	5	5	6	6	7	7

On fait la somme des nombres de 1 à 7, puis on multiplie par 2. Le résultat est 56. Léo a barbouillé 56 cœurs.

Réjeanne Vidal

		Prix	
1	2		
2	3		
3	4		9
4	5	24	14
5	6	30	20
6	7	36	27
7	8	42	35
8	9	48	44
9	10	54	54

9 petits-enfants .

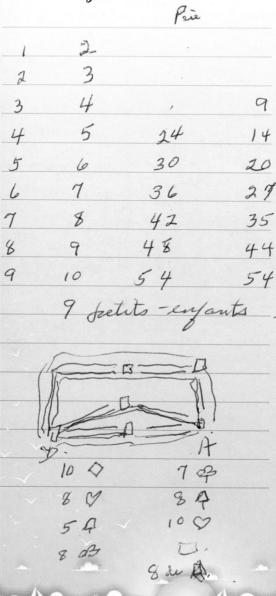

D.   A

10 ♦	7 ♣
8 ♥	8 ♠
5 ♣	10 ♥
8 ♣♠	

8 de ♠.

Solution 11

Il y a 10 canards dans la cour.

SOLUTION 12

Le citron d'en haut peut être déplacé, par exemple, vers la gauche ou vers la droite. On peut disposer les citrons ainsi :

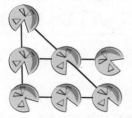

Solution 13

Pour que Laurette ait quatre œufs de plus que Laurin, il faut que Laurette ait 14½ œufs et que Laurin en ait 10½. Cela est possible seulement avec des œufs de Pâques. Laurin a acheté des œufs de Pâques.

Solution 14

Il y a trois lettres entre B et F, puis entre G et K. La femme de monsieur P est madame T.

SOLUTION 15

Il y a cinq groupes possibles sans le 4 : (1, 5, 9), (1, 6, 8), (2, 5, 8), (2, 6, 7) et (3, 5, 7). On ajoute un groupe avec le 4. Andrée a pu former six groupes différents.

Solution 16

On peut passer ainsi de FILLE à CALEB :

F	I	L	L	E
C	O	L	L	E
C	A	L	M	E
C	A	L	E	B

Solution 17

On peut disposer les chats ainsi :

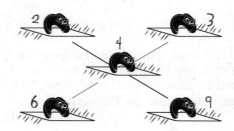

Solution 18

On peut disposer les signes ainsi :

SOLUTION 19

La plus grande valeur de ID est 65. Elle fournit deux égalités :
58 + 7 = 65 et 57 + 8 = 65.

Solution 20

La deuxième pièce doit faire deux tours.

SOLUTION 21

Élise a 15 cartes ; Louise en a 21. Ensemble, elles ont 36 cartes.

Solution 22

On peut trouver quatre autres façons de se donner la main :

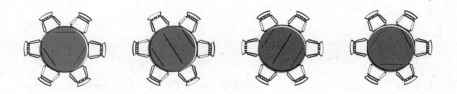

Solution 23

CERF-VOLANT (cerveau lent).

SOLUTION 24

Jaune-Œil portait des bottes d'armée (indices 1 et 3). Orange-Œil est arrivé premier et portait des bottes de ville (indices 1 et 4). Par conséquent, Rouge-Œil portait des bottes de pompier. Il est arrivé deuxième (indice 2). Donc, Jaune-Œil est arrivé troisième. Le tableau suivant illustre la situation :

Lapins	Jaune-Œil	Orange-Œil	Rouge-Œil
Bottes	armée	ville	pompier
Positions	3e	1er	2e

Solution 25

D'une ligne à l'autre, au premier nombre, on accole un chiffre qui décroît d'une unité. En même temps, le nombre qui précède le signe = décroît d'une unité. Il y a huit chiffres 8 dans le produit donné. Le chiffre des unités du premier nombre est 3, et le nombre additionné est 1. L'expression est : $9\,876\,543 \times 9 + 1$.

Solution 26

L'égalité est : ONZE + NEUF = VINGT. Le nombre de Charlotte est 20.

Solution 27

On peut disposer les chevaux ainsi :

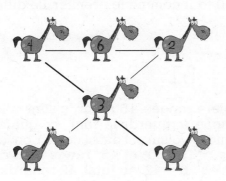

Solution 28

Généreux peut installer une armoire à glace. Cette expression désigne une personne de forte carrure et impassible.

SOLUTION 29

Il est possible de prendre les groupes de jetons suivants :
(1, 5, 6, 7), (2, 4, 6, 7) ou (3, 4, 5, 7), mais seuls les chiffres 3, 4, 5 et 7 donnent une égalité vraie. Il faut les disposer ainsi :

$$\frac{\boxed{7} + \boxed{5}}{\boxed{3}} = \boxed{4}$$

On peut intervertir le 7 et le 5, puis le 3 et le 4.

Solution 30

La suite est : 80, 90, 30, 45, 15, 30, 10, 25, 75, 80. Le dernier nombre est 80 tout comme le premier. La différence est 0.

SOLUTION 31

Dans la première rangée, 15 renards sont colorés ; dans la deuxième rangée, 9 renards le sont : ce qui fait 24 renards colorés. Comme le voisin est aussi coloré, on fait 24 × 2 = 48. Les renards aux 15e, 30e et 45e rangs sont dans les deux suites. On fait 48 - 6 = 42. Au total, 42 renards sont colorés.

Solution 32

On trouve : 16 carrés 1 × 1 ; 9 carrés 2 × 2 ; 4 carrés 3 × 3 ; 1 carré 4 × 4. Au total, on peut compter 30 carrés de toute grandeur.

SOLUTION 33

S'il place un miroir devant ce chiffre, l'ami de Raoul peut lire 2.

Solution 34

La mère est la semaine. Les enfants sont les jours. Chaque jour a 24 heures (12 avant midi et 12 après midi). Chaque heure a 60 minutes. Les enfants s'appellent Dimanche, Lundi, Mardi, Mercredi, Jeudi, Vendredi et Samedi.

Solution 35

On construit un tableau dans lequel on fait les multiplications.

X	2	3	6	7	9
2		6	12	14	18
3			18	21	27
6				42	54
7					63
9					

Le tableau contient 10 résultats. Comme 18 apparaît deux fois, on peut compter neuf résultats différents.

SOLUTION 36

PALAIS.

Solution 37

La somme des nombres de 10 à 15 est 75. Comme il y a trois rangées de somme 37, on fait : 3 × 37 = 111. Les trois crochets des coins appartiennent chacun à deux rangées. On fait : 111 - 75 = 36. Il doit y avoir 36 clés en tout sur les crochets des coins. On peut disposer les trousseaux de clés ainsi :

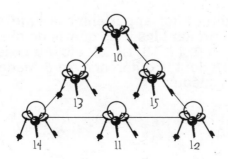

Solution 38

Après la coupe, les arêtes verticales sont plus courtes, mais elles demeurent des arêtes. Les arêtes du dessus, comme celles du bas, sont conservées. Chaque partie a 12 arêtes.

Solution 39

La seule valeur possible pour H est 5. Aussi, K = 6. L'égalité est : 5 + 5 + 55 = 65. La valeur de KH est 65.

SOLUTION 40

On peut trouver 15 mots de 5 lettres :

Angle	Arche	Beaux	Bègue	Cerne
Chaux	Chêne	Crabe	Crâne	Creux
Égale	Range	Régal	Règle	Règne

Solution 41

Le nombre cherché doit appartenir à la suite : 4, 8, 12, 16, 20, 24, 28, etc. En prenant les trois quarts de chaque nombre, on obtient : 3, 6, 9, 12, 15, 18, 21, etc. Au sixième rang, on trouve 24 et 18 dont la différence est 6. Madame Léontine a acheté 24 pruneaux.

Solution 42

On peut trouver six autres configurations différentes :

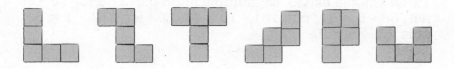

Solution 43

L'alène est un outil du cordonnier. Luc est cordonnier.

SOLUTION 44

Une des personnes nourrit les lapins. Ce n'est pas Louis (indice 4), ni Rico (indice 3); alors, c'est Bruno. Louis observe (indice 1) les dindes (indice 2). Donc, Rico visite les poules. Le tableau suivant illustre la situation :

Sujets	Bruno	Louis	Rico
Verbes	Nourrit	Observe	Visite
Compléments	Lapins	Dindes	Poules

Solution 45

Au résultat donné par Léonie, Léa soustrait 1 et divise mentalement la différence par 5. Cela donne le premier nombre de la suite. Par exemple, Léonie a choisi 10, 11 et 12. La somme est 33. La multiplication par 2 donne 66. On fait : 66 - 5 = 61 ; puis : 61 - 10 = 51. Léa fera : 51 - 1 = 50 ; puis : 50 ÷ 5 = 10.

Solution 46

On peut remplir la grille ainsi :

U	S	A
N	O	M
E	T	E

Solution 47

La somme des nombres de 1 à 6 est 21. La somme des sommes données est 32. On fait : 32 - 21 = 11. On peut disposer les nombres ainsi :

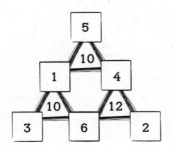

SOLUTION 48

SUR LE POUCE. De l'expression « manger sur le pouce ».

Solution 49

On peut écrire : 274 + 392 = 666. La valeur de ÉNIGME est 274 392.

Solution 50

En face du chat numéro 1, on trouve le 6. Il y a quatre chats de chaque côté. En face du 3 se trouve le chat numéro 8.

Solution 51

Les numéros inscrits au concours sont : 15, 45, 51, 54, 57, 75, 105, 135, 150, 153, 156, 159, 165 et 195. Quatorze personnes seront inscrites au concours.

SOLUTION 52

Le tableau suivant indique les lettres en regard du nombre de carrés :

Carrés	7	9	11	12
Lettres	L	C, F	E, H, S, U	A, O

Le mot est CLOU.

Solution 53

CHEMINÉE (che/mi/né).

Solution 54

Lorraine préfère le losange (indices 3 et 4). Elle aime aussi le triangle scalène (indice 5). Christian aime le triangle équilatéral (indice 1). Par conséquent, Francine préfère le triangle isocèle. Christian préfère le parallélogramme (indice 2). Donc, Francine préfère le trapèze. Le tableau suivant montre les figures préférées de chaque personne:

Christian	Francine	Lorraine
Équilatéral	Isocèle	Scalène
Parallélogramme	Trapèze	Losange

Solution 55

La somme des nombres de chaque rangée complète de trois nombres est 21. Si on écrit 11 à la place du point d'interrogation, toutes les rangées auront une somme de 21. Le nombre recherché est 11.

Solution 56

BOTTES.

Solution 57

On peut répartir les touristes ainsi :

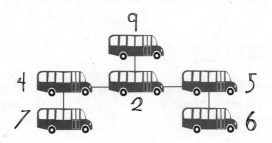

SOLUTION 58

La lettre C.

SOLUTION 59

Si la boîte C contient 3 cure-dents, la B en a 15, et la A en a 5 : ce qui fait un total de 23 cure-dents. Pour arriver à 69, on multiplie chaque nombre par 3. Les cure-dents sont répartis ainsi : 15 en A, 45 en B, et 9 en C.

Solution 60

Comme l'autocar a 44 places, il y a 45 sièges quand on compte celui du conducteur (en négligeant le siège des toilettes). On fait : 45 ÷ 3 = 15. Il y a 15 touristes espagnols dans l'autocar. Le conducteur n'est pas un touriste. Il y a 29 touristes non espagnols.

Solution 61

Noémie a gagné quatre boîtes de cinq disques et trois boîtes de huit disques, en tout sept boîtes.

SOLUTION 62

Les 3 figures ont 10 côtés. Il faut qu'une pièce touche aux deux autres pour soustraire quatre côtés. On peut réaliser ces deux hexagones :

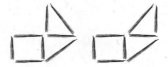

Solution 63

Les trois mots sont : NEVEU, NEUVE et VENUE. On peut placer les cubes ainsi :

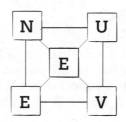

SOLUTION 64

Comme le 5 mars est le 64e jour de l'année, nous sommes dans une année non bissextile. Dans 64 jours, ce sera le 128e jour. Pour arriver à 128, on fait : 31 (janvier) + 28 (février) + 31 (mars) + 30 (avril) + 8 (mai) = 128. La date de naissance de la cadette est le 8 mai.

Solution 65

On déplace deux clous du 5 pour faire un 2.

Solution 66

TORDS LE COU À LA POULE QUI MANGE CHEZ TOI ET QUI POND AILLEURS.

Solution 67

On suppose qu'il y a un livre dans le casier d'Alicia. Celui de Bruno aurait 4 livres, celui de Carol aurait sept livres et celui de Diane aurait 10 livres, ce qui ferait 22 livres. On fait : 38 - 22 = 16 ; puis : 16 ÷ 4 = 4. On additionne 4 à chacun. Les casiers contiennent respectivement 5, 8, 11 et 14 livres.

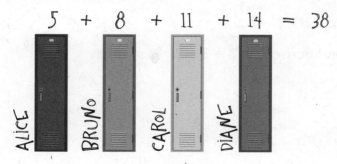

$$5 + 8 + 11 + 14 = 38$$

ALICE   BRUNO   CAROL   DIANE

Solution 68

Dans un État ou pays où on recule l'heure durant un mois de 31 jours, ce jour a une heure de plus que tout autre mois de 31 jours. C'est ce mois qui devient le plus long de l'année.

SOLUTION 69

En raison de la deuxième égalité, le livre est égal à 1, 2 ou 4. Alors, le téléphone est égal à 2, 4 ou 8. On trouve que le livre = 4 et le téléphone = 8. Donc, le cadenas = 1.

$$\text{🔒} = 1$$

SOLUTION 70

On fait : 24 - 3 = 21 ; puis : 84 ÷ 21 = 4. Chaque orange coûte 4 écus. On fait : 4 × 12 = 48. Une douzaine d'oranges coûte 48 écus.

Solution 71

On peut écrire : 3 × 3 + 3 + 3 × 3 = 45.

Solution 72

On prend les deux allumettes d'un coin. On en met une en diagonale dans le carré non touché. On place l'autre pour former un triangle. On peut placer les allumettes ainsi :

SOLUTION 73

Supposons que chaque couple met au monde trois lapins en janvier.

	Janv.	Fév.	Mars	Avril	Mai	Juin
Couple A	3	6	12	24	48	96
Couple B	3	6	12	24	48	96

Si le couple A est seul, en juin la grange sera pleine avec 96 lapins. Si le couple B s'associe au A, le nombre total de lapins nés en mai sera : 48 + 48 = 96. La progéniture des deux couples remplira la grange en mai.

Solution 74

La lettre du premier indice est M ou E. Celle du deuxième est O ou N. Celle du troisième est P ou I. Celle du quatrième est S ou E. Le mot est MOIS.

Solution 75

Les deux nombres sont : 6 et 16.

Solution 76

On peut passer ainsi de POULE à SIMON :

P	O	U	L	E
P	I	L	L	E
P	I	L	O	N
S	I	M	O	N

Solution 77

Les combinaisons de trois étoiles qui ont 14 tonnes sont :
(1, 5, 8), (1, 6, 7), (2, 4, 8), (2, 5, 7), (3, 4, 7) et (3, 5, 6). On peut
disposer les quotas d'énergie ainsi :

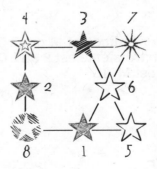

Solution 78

Des feuilles de chou. Une feuille de chou est un journal de
peu de valeur.

SOLUTION 79

Aux six groupes de MARC, on ajoute chaque lettre de MARC avec U et avec S (huit groupes), puis le groupe (U, S). Marcus pourra faire 15 groupes de 2 lettres avec les lettres de son prénom.

SOLUTION 80

La semaine des quatre jeudis n'existe pas.

Solution 81

Si Gémond a 1 pistole, Denise en a 22 et Flore, 24, soit un total de 47 pistoles. Il restera 21 pistoles à distribuer. On fait : 21 ÷ 3 = 7. On ajoute 7 pistoles à chacun. Gémond a 8 pistoles ; Denise, 29 pistoles ; Flore, 31 pistoles.

Solution 82

Le nombre de boules d'un triangle est égal à six fois le rang du triangle diminué de 3. Le quatrième triangle a 21 boules, le cinquième a 27 boules et le sixième a 33 boules, ce qui fait 81 boules pour ces 3 derniers triangles. On fait : 81 + 3 = 84 ; puis : 84 ÷ 6 = 14. Le rang du triangle est 14.

SOLUTION 83

Jérémie peut y écrire au maximum 26 lettres différentes, car il y a 26 lettres dans l'alphabet.

Solution 84

On a: roi de cœur, as de carreau (indice 2). On a: roi de cœur, as de carreau, as de trèfle (indice 4). On a: roi de trèfle, as de pique (indice 3). L'as de cœur est à gauche de la rangée (indice 1). Le roi de trèfle et l'as de pique sont à droite de la rangée (indice 1). L'ordre des cartes est: as de cœur, roi de cœur, as de carreau, as de trèfle, roi de trèfle et as de pique.

SOLUTION 85

La collection peut contenir 352, 372, 532, 572, 732 ou 752 pattes. Quand on divise ces nombres par 4, on obtient successivement 88, 93, 133, 143, 183 ou 188. Le seul nombre dont la somme des chiffres est 8 est 143. La collection d'Érika est composée de 143 chevaux.

= 143 CHEVAUX

Solution 86

IDÉE.

Solution 87

Les combinaisons de trois boules dont la somme est 13
sont : (1, 3, 9), (1, 4, 8), (1, 5, 7), (2, 3, 8), (2, 4, 7) et (2, 5, 6).
Les combinaisons de deux boules dont la somme est 13
sont : (4, 9) et (5, 8), si on exclut (6, 7). On peut disposer les
boules ainsi :

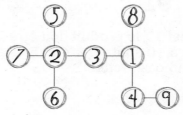

Solution 88

Puisque Z = 9, alors U = 4. Puisque E = 3, alors N = 6. On a
deux égalités possibles : 1345 + 6348 = 7693 ; 1348 + 6345
= 7693. La valeur de ONZE est 7693.

Solution 89

Les deux boules du centre des colonnes peuvent être dé-
placées vers le centre de la figure. On peut disposer les
boules ainsi :

SOLUTION 90

On peut compter 11 petits bonhommes.

SOLUTION 91

Comme le total est 10, le produit doit être 20. Les diviseurs de 20 inférieurs à 10 sont : 1, 2, 4 et 5. Les amies ont une, deux, deux et cinq casquettes.

Solution 92

Horizontalement, on peut tracer quatre rectangles 2 × 3 et deux rectangles 2 × 4. Verticalement, on peut tracer trois rectangles 2 × 3. On ajoute un rectangle 3 × 4. Au total, on peut tracer 10 rectangles.

Solution 93

Sébastien doit mettre ses bottes (ou chaussures), puisqu'il n'a que ses bas.

SOLUTION 94

Il y a quatre trios : (Luce, Marc, Serge), (Luce, Rénald, Serge), (Patricia, Marc, Rénald) et (Viviane, Marc, Rénald).

Solution 95

Il est 9 h 18.

Solution 96

GAI COMME UN PINSON.

Solution 97

On commence par placer le quatrième livre de poésie dans la troisième case de la première colonne. On place une biographie à la droite de celui-ci, puis un livre d'histoire à droite du dernier, etc. On obtient la disposition suivante :

R	H	B	P
H	R	P	B
P	B	H	R
B	P	R	H

Solution 98

Chaque lettre est l'initiale du nombre précédent. La lettre qui suit 13 devrait être T (TREIZE).

Solution 99

Aucune. Le 21e siècle a débuté le 1er janvier 2001.

SOLUTION 100

IL A FAUSSÉ SES PROPOS EN DISANT QU'IL IGNORAIT SON APPEL.

Solution 101

Pendant les semaines impaires, Rosa vend trois automobiles de plus d'une semaine impaire à l'autre. Il en est de même pour Vallier. Durant la 11e semaine, Rosa aura vendu 17 automobiles et Vallier, 16. Ensemble, ils auront vendu 33 automobiles au cours de la 11e semaine.

Solution 102

On peut partager l'hexagone ainsi:

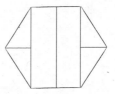

Solution 103

BARBE.

Solution 104

Mélissa a 82 poules, car elle en a 41 en A et en B, puis 41 en C et en D. Comme il y en a 35 dans les cages A et C, on fait : 82 - 35 = 47. Il y a 47 poules dans les cages B et D.

SOLUTION 105

L'expression est : $(14 + 7) \div 3 \times 8 + 4$.

SOLUTION 106

OCÉAN (eau/C/an).

Solution 107

Le chemin suivant permet d'atteindre 15 cases, ce qui est le maximum :

1	6	15	
12	9	4	7
5	2	11	14
10	13	8	3

Solution 108

Il y a 9 pages de 1 chiffre ; 90 pages de 2 chiffres ; 161 pages de 3 chiffres. On fait : 9 + 180 + 483 = 672. Il a fallu 672 chiffres pour paginer cet agenda.

Solution 109

J = 6, A = 1, N = 2. L'égalité est : 61 + 61 = 122. La valeur de ANN est 122.

Solution 110

Si on exclut la paire de souliers jaunes et la chemise jaune, il reste 2 paires de souliers, 2 chemises et 3 pantalons, soit 12 trios. On ajoute le trio avec les souliers jaunes et celui avec la chemise jaune. Au maximum, Maxime pourra choisir un trio différent pendant 14 jours.

SOLUTION 111

Au retour, on sera le 122ᵉ jour. Les quatre premiers mois sont composés de 121 jours, soit janvier (31 jours), février (29), mars (31) et avril (30). Le 122ᵉ jour est le 1ᵉʳ mai. Julie et Julienne reviendront le 1ᵉʳ mai.

SOLUTION 112

Si on enlève les deux boutons qui sont aux extrémités de la rangée du haut (ou du bas), on obtient trois rangées :

Solution 113

NUMÉRO.

Solution 114

La différence entre deux nombres voisins est successivement: 8, 13 et 18. La différence entre chacun de ces nombres est 5 et 18 + 5 = 23. On fait: 44 + 23 = 67. Le nombre manquant est 67.

$? = 67$

SOLUTION 115

Le résultat de chaque ligne contient les chiffres consécutifs dans l'ordre décroissant à partir de 9. Le nombre de chiffres correspond au nombre additionné. Le résultat final a neuf chiffres. Le produit est 987 654 321.

Solution 116

Les trois mots intermédiaires sont: POTINE, PATINE et PAVANE.

Solution 117

On complète la première rangée verticale avec 9. Comme il y a 18 billes par rangée, il doit y en avoir 6 au centre. On complète ensuite les autres rangées. On place les billes ainsi :

Solution 118

Les enfants nés sont un garçon et une fille. Après les naissances. le garçon a quatre sœurs, y compris sa jumelle ; la fille a trois sœurs et un frère, son jumeau. Il y a maintenant cinq enfants. Avant l'arrivée des nouveau-nés, il y avait trois enfants dans cette famille.

Solution 119

R = 1, car on fait la somme de deux nombres qui ont chacun deux chiffres. En raison de la valeur de R, P + U = 11. On donne à P et à U les valeurs possibles, comme 3 et 8, puis 4 et 7. La somme est toujours la même, soit 121. Lucie a 121 éléphants.

Solution 120

On peut disposer les nombres ainsi :

9	−	4	=	5
6	÷	2	=	3
1	+	7	=	8

Solution 121

Filou a eu 72 bonbons à l'érable.

Solution 122

Les quatre carrés à déplacer sont indiqués en noir dans la première figure. Dans la seconde, on indique le nouvel emplacement de chaque carré.

SOLUTION 123

Aucune année. Noël et le jour de l'An tombent le même jour de la semaine, mais sur deux années différentes.

Solution 124

On place les chiffres ainsi:

	E	F	G	H
A	4	5	8	1
B	2	3	6	7
C	6	1	5	3
D	2	9	4	7

Solution 125

Si le premier nombre est 100, le deuxième est 200 et le troisième, 400, ce qui ferait 700 ; la somme est donc un multiple de 7. On fait : 2002 ÷ 7 = 286. Les trois nombres manquants sont : 286, 572 et 1144.

Solution 126

On peut trouver six mots de trois syllabes : RÂLEMENT, RATELÉ, SAGEMENT, SALEMENT, SALERA et SALETÉ.

Solution 127

On place 1 dans le coin inférieur droit. Le nombre de billes par rangée serait 11. On complète chaque rangée avec un total de 11 : ce qui est impossible. On place 2 dans le coin inférieur droit. On complète chaque rangée avec 12. On obtient :

6	1	5
3	4	5
3	7	2

Il y a 36 billes dans le coffre.

Solution 128

SES JAMBES. De l'expression « prendre ses jambes à son cou ».

SOLUTION 129

Comme O + O = 4, un nombre pair, N + M = 7 et non 17. Comme M est supérieur de 3 à N, M = 5 et N = 2. Par ailleurs, O + O = 14. Donc, O = 7. NOM correspond à 275.

Solution 130

Du 4, on prend deux allumettes; il reste 1. Avec les deux allumettes, on complète le 6 pour former un 8. On peut représenter 81 qui est le carré de 9.

Solution 131

On suppose que le plus vieux des cousins a 70 ans, que le deuxième a 67 ans et que le troisième a 63 ans. La somme des âges est 200. On fait : 224 - 200 = 24 ; puis : 24 ÷ 3 = 8. On additionne 8 à chacun des âges. Le plus vieux a 78 ans ; celui du milieu, 75 ; le plus jeune, 71.

SOLUTION 132

On peut disposer les symboles ainsi :

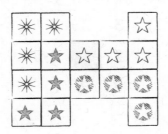

Solution 133

CALENDRIER.

Solution 134

C'est Jérémie qui a parlé le moins longtemps.

Solution 135

Chacun des enfants a neuf ans.

Solution 136

D'un mot à l'autre, on a changé deux lettres et conservé la position des autres. Le mot cherché est PORTE.

Solution 137

Le matin, il reste 20 poules dans les enclos. On peut répartir les poules ainsi:

3	2	3
2		2
3	2	3

Solution 138

On fait : 108 ÷ 7 = 15 reste 3. Le retour s'est fait trois jours après le dernier lundi, soit un jeudi.

Solution 139

Deux égalités sont possibles : 37 + 37 + 37 = 111 et 74 + 74 + 74 = 222. La plus grande valeur de SSS est 222.

Solution 140

On compte 39 roues et 15 étoiles. Chaque groupe doit avoir 13 roues et 5 étoiles. Un groupe est formé des cases de rangs 1, 5 et 9 ; un autre des cases de rangs 2, 6 et 7 ; un troisième des cases de rangs 3, 4 et 8.

Solution 141

Les dominos sont : (1, 1), (1, 2), (1, 3), (1, 4), (1, 5), (2, 2), (2, 3), (2, 4), (2, 5), (3, 3), (3, 4), (3, 5), (4, 4), (4, 5) et (5, 5). Il y a 15 dominos dans le jeu qu'a acheté Marielle.

Solution 142

Jasmin pourra compter neuf carrés 3 × 3.

Solution 143

FORMIDABLE (formule / migraine / corrida / trouble).

Solution 144

La base de la figure est successivement à gauche, en bas et à droite. La base de la quatrième figure doit être en haut comme le montre la figure suivante :

Solution 145

À chaque 37 correspond un groupe de trois 1. Comme le résultat contient 30 fois le chiffre 1, il y aura 10 fois 37, soit 10 fois le chiffre 3. On ajoute le 3 qui multiplie. Gérard a écrit 11 fois le chiffre 3.

SOLUTION 146

Sur la première ligne, il y a deux lettres dans chaque intervalle. La lettre qui manque est O. Sur la deuxième ligne, il y a une lettre dans chaque intervalle. La lettre est N. Sur la troisième ligne, il y a deux lettres dans chaque intervalle. La lettre est D. Sur la quatrième ligne, les lettres se suivent. La lettre est R. Le mot est ROND ou NORD. Comme il ne roule pas, le mot est NORD.

Solution 147

Les coffrets C, D et E ont 24 bijoux. On doit donc trouver 24 bijoux par rangée horizontale (ou verticale). Les 9 coffrets contiennent 72 bijoux. On peut disposer les bijoux ainsi:

13	1	10
5	8	11
6	15	3

SOLUTION 148

On peut disposer les lettres ainsi:

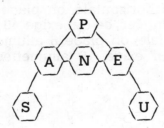

Solution 149

La différence entre 23 et 17 est 6. Donc, B = 6. On peut disposer les nombres ainsi:

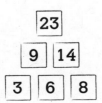

Solution 150

On ajoute un segment à 5 pour faire 9. On ajoute deux segments à 1 pour faire 7. Le plus grand nombre est 97.

Solution 151

Antoine aura parcouru 1,75 kilomètre.

SOLUTION 152

Dans une rangée horizontale, on place sept allumettes. On va former 7 rangées, ce qui exige 49 allumettes. Dans une rangée verticale, on place 6 allumettes et ceci, sur 8 rangées, ce qui exige 48 allumettes. Jules utilisera 97 allumettes.

Solution 153

Le papier collant (ou adhésif).

Solution 154

Rama est à côté d'Irma (indices 3 et 5). Alma est en face d'Irma (indice 4). Par conséquent, Gemma est en face de Rama. Alma lit la Marotte (indice 1). Rama lit le Fléau (indice 2). Gemma lit le Désastre (indice 5). Donc, Irma lit le Repli. Le tableau suivant illustre la situation :

Rama (Fléau)	↔	Gemma (Dérastre)
Irma (Repli)	↔	Alma (Marotte)

SOLUTION 155

On enlève deux segments au 8 pour obtenir 2. On ajoute les deux segments au 2 pour obtenir 8. L'égalité est : $8 \div 4 = 2$.

Solution 156

FLÈCHE.

Solution 157

Deux rangées ont chacune deux cellules. Les combinaisons possibles d'œufs sont : (7, 12) et (8, 11). On peut disposer les œufs ainsi :

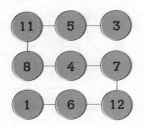

Solution 158

BLANCHE. De l'expression «passer une nuit blanche», c'est-à-dire sans dormir.

Solution 159

B = 1 ; S = 7 ; O = 4. L'égalité est 47 + 47 + 47 = 141. La valeur de BOB est 141.

Solution 160

On peut combiner les nombres ainsi : 7 × 100 = 700 ; 8 × 75 = 600 ; 700 - 600 = 100 ; 100 + 9 = 109.

SOLUTION 161

On part de 18 et on fait les opérations inverses. On fait : 18 × 3 = 54 ; 54 - 8 = 46 ; 46 ÷ 2 = 23. Jeannot a 23 soldats de plomb.

Solution 162

Le partage se fait ainsi :

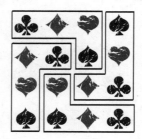

SOLUTION 163

Le mari de madame H est monsieur T. Les lettres correspondent aux initiales des passe-temps : C (cachette), D (dominos), R (roman), A (album), H (hamac), T (tente).

Solution 164

On commence par placer le chien au centre (indices 2, 4 et 5). On dispose les animaux ainsi :

Lapin	Pigeon	Porc
Chat	Chien	Poule
Vache	Cheval	Mouton

Solution 165

On note que : $1 \times 2 = 2$; $2 \times 3 = 6$; $3 \times 4 = 12$; $4 \times 5 = 20$; $5 \times 6 = 30$. Pour trouver la somme des pairs de 2 à 50, on fait : $25 \times 26 = 650$. Comme il manque les nombres de 2 à 10, on soustrait 30. On fait : $650 - 30 = 620$. La somme des nombres pairs consécutifs de 12 à 50 est 620.

Solution 166

LE LOUP PEUT CHANGER DE PEAU ; IL NE MODIFIERA PAS SON CARACTÈRE.

SOLUTION 167

Joséphine place 18 bonbons par rangée, puisque les 54 sont répartis également dans les 3 rangées horizontales (ou verticales). Les bonbons sous chacune des cloches sont disposés ainsi :

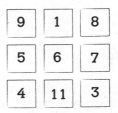

Solution 168

On commence, par exemple, par prendre le dé rouge. Le numéro est donné à gauche. On écrit les numéros du jaune et du vert qui complètent la somme à 7.

$$1 : (1, 5), (2, 4), (3, 3), (4, 2), (5, 1)$$
$$2 : (1, 4), (2, 3), (3, 2), (4, 1)$$
$$4 : (1, 2), (2, 1)$$
$$5 : (1, 1)$$

Il y a 12 possibilités d'obtenir une somme de 7 avec les 3 dés.

Solution 169

Comme on doit additionner deux nombres de trois chiffres, R égalera toujours 1, peu importe les chiffres. Donc, comme D = 6 et R = 1, E = 5. C ne peut pas être égal à 5 et à 6. On essaie 7. On a une égalité : 751 + 735 = 1486. La plus petite valeur de ROND est 1486.

Solution 170

Il y a sept carrés 2 × 2 qui contiennent exactement deux cases blanches.

SOLUTION 171

Comme CE = 21 et AE = 29, AC = 8. Comme AB = 20, CB = 12. Comme AE = 29, BE = 9. La distance BE est de 9 millimètres.

Solution 172

La lettre donnée est déplacée dans l'espace vide. Voici une façon de déplacer les pièces : N (saut), C (saut), D, U, N (saut), I, U (saut), N.

SOLUTION 173

Une cédille.

Solution 174

Les nombres augmentent de 4 à chaque fois. Le dernier nombre sera 19. Les lettres sont écrites avec un écart de 1, 2, 3, 4 en ordre décroissant. La lettre sera F. Le couple est 19 F.

Solution 175

Les quatre nombres sont : 23, 46, 58 et 71.

SOLUTION 176

On peut écrire les chiffres donnés ainsi :

C		D	
I		E	
N	E	U	F
Q		X	

Solution 177

On dispose les chiffres ainsi :

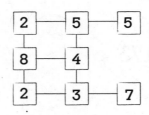

Solution 178

On peut trouver huit façons de lire LONG.

Solution 179

Si N = $^3\frac{1}{2}$, B = 7½ (deuxième ligne) et E serait négatif.
Si N = ½, B = 5½ (deuxième ligne). Alors, E = ½. La plus
petite valeur de N est ½ ou 1½.

Solution 180

Une expression est donnée dans chaque cas.

$$(2 + 2 + 2) \times 2 = 12$$
$$(3 + 3) \times 3 - 3 = 15$$
$$(4 \times 4 + 4) \div 4 = 5$$
$$5 \times 5 - 5 \div 5 = 4$$

Solution 181

Quand la rangée de 16 tortues est réalisée, Estelle compte
136 tortues. On fait: 150 - 136 = 14. La rangée suivante,
incomplète, contiendra donc 14 tortues.

Solution 182

Martine superpose les deux planches. Il lui faut 4 découpes,
soit 40 secondes.

Solution 183

ÉPINGLE. De l'expression « tirer son épingle du jeu ».

SOLUTION 184

Dino n'est ni un Ramier ni un Damier (indice 3). Dino n'est pas un Tamier (indice 2). Il est un Lamier. Beauvais n'est ni un Damier (indice 1) ni un Tamier (indice 2). Il est un Ramier. Albert n'est pas un Damier (indice 1). Il est un Tamier et, par déduction, Chad est un Damier. Le tableau suivant illustre la situation :

Albert	Beauvais	Chad	Dino
Tamier	Ramier	Damier	Lamier

Solution 185

Le chiffre de l'unité du premier nombre est un 4 ou un 9, puisque celui de la somme est 4. Le chiffre de la centaine du premier nombre ne peut pas être 6 car la somme serait supérieure à 2000. La somme est 1584. Les poids cherchés sont : 264, 528 et 792.

Solution 186

On remplit la grille ainsi :

L	A	R	M	E
A	T	O	U	T
R	O	N	G	E
M	U	G	I	T
E	T	E	T	E

Solution 187

On complète d'abord la première diagonale de haut en bas, car il y a une seule possibilité dans chaque cas. On place 1 dans la troisième case de la deuxième ligne. Le tableau suivant indique la place des pièces :

1	5	10	25
10	25	1	5
25	10	5	1
5	1	25	10

Solution 188

Les nombres sont : 6 (SIX) et 8 (HUIT).

SOLUTION 189

P = 1 puisque PAIR est la somme de deux nombres de trois chiffres. On donne successivement les valeurs possibles à A et on déduit la valeur des autres lettres. L'égalité est : 926 + 704 = 1630. La valeur de PAIR est 1630.

Solution 190

On compte 8 triangles de 2 parties, 2 de 3 parties et 2 de 4 parties, soit 12 rectangles de plus de 1 partie.

Solution 191

On fait : 89 - 27 = 62. Comme Marielle a reçu deux fois plus d'appels téléphoniques le premier jour que le deuxième, on fait : 62 ÷ 3 = 20 reste 2. Elle a reçu 20 appels le premier jour et 40 le deuxième. On fait : 20 + 40 + 27 = 87. Marielle a eu au maximum 87 appels téléphoniques pendant ces trois jours.

Solution 192

Si on assemble les carrés côté par côté, la mesure du périmètre sera un nombre pair. On peut assembler les quatre
carrés ainsi :

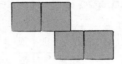

Solution 193

Il y a six lièvres au minimum.

SOLUTION 194

Si l'on essaie cette phrase : «Ce paragraphe comprend
dix-huit I.», c'est faux parce qu'il en contient 19.
Voyons les autres combinaisons :
«Ce paragraphe comprend dix-neuf I.», c'est faux (18).
«Ce paragraphe contient dix-huit I.», c'est faux (20).
«Ce paragraphe contient dix-neuf I.», c'est vrai (19).

La 3ᵉ phrase est : «Ce paragraphe contient dix-neuf I.»

SOLUTION 195

Il y a deux possibilités : 43 et 4, puis 44 et 5. Comme le plus
grand nombre est impair, les deux nombres cherchés sont :
43 et 4.

Solution 196

Le premier nombre est 20. Les trois nombres sont : VINGT,
CINQ et QUATRE.

SOLUTION 197

Les deux bocaux formant une rangée doivent contenir 4 et 12. Comme il n'y a pas de 10, le 12 est dans la rangée du bas. On complète cette rangée avec 2. On place 3 et 9 de chaque côté du 4. On peut disposer les numéros ainsi :

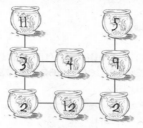

Solution 198

Gaétane plante 6 fleurs dans les coins et 30 fleurs sur les côtés à l'exception des coins. Au total, elle plante 36 fleurs.

Solution 199

Comme il n'y a pas de 3 et que Q vaut 6, N vaut 1 ou 2. L'égalité est : 657 + 184 = 841. La valeur de QUINZE est 657 184.

Solution 200

On peut disposer les trèfles ainsi :

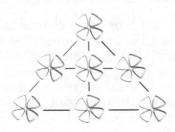

Solution 201

On peut trouver 12 façons de lire TAROT.

Solution 202

On trace les deux diagonales du carré et les deux per-
pendiculaires sur les milieux des côtés du carré. On peut
partager le carré ainsi :

SOLUTION 203

Tant que Joséphine n'aura pas tiré les trois gants de la
main droite, elle ne pourra pas être certaine de tirer un
gant de la main gauche. Quatre gants doivent être tirés
(les trois de la droite et un de la gauche) pour qu'elle soit
certaine d'avoir un deuxième gant de la main gauche au
prochain tirage.

Solution 204

Comme aucun chiffre n'est à la bonne place dans le troisième nombre, le 4 du premier nombre et le 8 du deuxième
nombre ne sont pas à la bonne place. Comme aucun chiffre
n'est à la bonne place dans le quatrième nombre, le 3 du
premier nombre et le 9 du deuxième nombre ne sont pas
à la bonne place. Les chiffres sont : 5, 7, 6 et 1. Le nombre
choisi par Désirée est 5761.

Solution 205

La fille de Bianca a quatre ans. On peut procéder à rebours : 33 ÷ 3 = 11, 11 - 3 = 8 et 8 ÷ 2 = 4.

SOLUTION 206

On remplit la grille ainsi :

	1	2	3	4	5
1	C	A	R	R	E
2	O	T	A	I	T
3	N	O	S	■	R
4	T	U	■	L	E
5	E	T	U	I	S

Solution 207

Il y a six groupes de deux numéros impairs : (5, 7), (5, 9), (5, 19), (7, 9), (7, 19) et (9, 19). Comme il y a quatre numéros pairs, on fait : 6 × 4 = 24. On peut faire 24 groupes.

Solution 208

On peut trouver plus d'une façon d'effacer quatre piques, par exemple :

Solution 209

CQ peut représenter 54, 104, 114, 115 ou 140. CD peut représenter 52, 102, 110 ou 112. La somme est 167 si on a 115 + 52. CQ = 115 et CD = 52.

Solution 210

Un bip sonore sera émis à 17 h 41, 17 h 50, 18 h 04, 18 h 13, 18 h 22 et 18 h 31. Il manque quatre minutes pour faire une heure. Catherine consacrera 56 minutes à la lecture de son roman.

SOLUTION 211

Avec 2 fois une corde de 21 doigts, Alfred peut mesurer 42 doigts ; avec 3 fois cette corde, il peut mesurer 63 doigts et, avec 5 fois cette corde, il peut mesurer 105 doigts. La corde devra mesurer 21 doigts au maximum.

Solution 212

On peut partager la planche de deux autres façons :

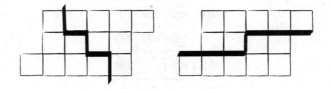

Solution 213

On part du C et on tourne (comme le cinéaste) dans le sens des aiguilles d'une montre. Il est CINÉASTE.

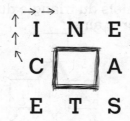

SOLUTION 214

Dans la dernière rangée horizontale, il y a successivement: bleu, vert, bleu. Le troisième bleu est dans le coin supérieur droit. Il y a un jaune au centre. On dispose les couleurs ainsi:

Solution 215

La 100ᵉ lettre écrite est le deuxième A du deuxième MAMAN.

Solution 216

Les cinq mots sont: DIAGONAL, MARGINAL, UTOPIQUE, MATÉRIEL et MAGAZINE.

Solution 217

La somme des nombres de 1 à 6 est 21. La somme de 8, 10 et 12 est 30. On fait : 30 - 21 = 9. La somme des nombres se trouvant aux sommets du triangle du milieu est 9. On peut disposer les nombres ainsi :

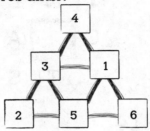

SOLUTION 218

Trois enfants jouent au tennis et au ballon. Deux enfants jouent seulement au tennis, et quatre enfants, seulement au ballon. On fait : 3 + 2 + 4 = 9. Il y a neuf enfants dans cette classe.

Solution 219

M = (4◨, 1✲), P = (5◨, 1✲), S = (6◨, 1✲),
V = (7◨, 1✲), Y = (8◨, 1✲).

On peut représenter Z ainsi :
◨◨◨◨◨◨◨◨✲✲ (8◨, 2✲).

SOLUTION 220

Caroline utilisera 40 allumettes.

Solution 221

Si les 30 pièces valaient 25 pistoles chacune, cela ferait un montant de 750 pistoles, soit un excédent de 270 pistoles. Chaque fois qu'on remplace une pièce de 25 pistoles par une pièce de 10 pistoles, il y a une différence de 15 pistoles. On fait : $270 \div 15 = 18$. Pascal a donc 18 pièces de 10 pistoles et 12 pièces de 25 pistoles.

Solution 222

On assemble les triangles ainsi :

SOLUTION 223

Le robot cueille 80 pamplemousses en 80 minutes. Il cueillera 100 pamplemousses en 100 minutes.

Solution 224

On enlève trois rectangles de chaque plateau. À gauche, il reste le carré ; à droite, le triangle et un rectangle. Au minimum, le triangle pèse 1 gramme. Le carré pèse alors 6 grammes. Le rectangle pèse 1 gramme de moins que le carré. Le rectangle pèse 5 grammes.

Solution 225

On peut obtenir l'égalité suivante : $3 \times 3 + 3 = 8 - 2 + 6$.

Solution 226

LES AMOUREUX ONT DANS LE CŒUR LA LANGUE PARLÉE PAR LES FLEURS.

SOLUTION 227

Il manque 2 sur la première ligne et la première diagonale. Il y a un surplus de 2 sur la troisième ligne et la deuxième colonne. On intervertit le 2 et le 4, puis le 8 et le 12. Le carré corrigé se présente ainsi:

16	2	12
6	10	14
8	18	4

Solution 228

On prend une allumette du signe = et on la met au-dessus (ou au-dessous) du signe -. On peut alors lire: 4 = 6 - 2.

Solution 229

Comme A = 1, T = 2. Comme E = 4, I = 6. Comme T = 2, X = 5. Le nombre qui correspond à TAXI est 2156. VITE correspond à 8624.

Solution 230

Le nombre d'étoiles est successivement 6, 9, 12, 15, etc. Ça augmente toujours de 3. La 15e figure aura 48 étoiles.

SOLUTION 231

Les deuxième et troisième amis doivent avoir 11 + 11 + 12 = 34 roubles de plus que le premier. On fait : 160 - 34 = 126 ; puis : 126 ÷ 3 = 42. Le premier a 42 roubles ; le deuxième, 53 ; le troisième, 65.

Solution 232

On peut également partager le cadran ainsi :

Solution 233

On place verticalement une allumette sous celle de droite et on obtient 9 qui est un carré, soit le carré de 3.

Solution 234

De la première ligne, on soustrait le nombre de la deuxième ligne et ça nous donne le nombre de la troisième ligne. Si l'on soustrait 28 à 71 on obtient 43. Le nombre manquant est 43.

SOLUTION 235

Comme la somme est 36, un nombre doit être 18 et les deux autres ont une somme de 18. À part 18, les autres éléments sont : (1, 17), (3, 15), (4, 14) et (8, 10). Il y a quatre groupes.

Solution 236

On peut placer les lettres ainsi:

B	O	N	A
T	N	C	U
O	R	E	I
N	U	T	R

Solution 237

Les combinaisons de deux nombres dont la somme est 22 sont: (8, 14) et (10, 12). Les combinaisons de trois nombres dont la somme est 22 sont: (3, 5, 14), (3, 7, 12), (3, 8, 11), (4, 7, 11), (4, 8, 10) et (5, 7, 10). On peut disposer les nombres ainsi:

```
      7  4 11
  12 10     8 14
      5 14  3
```

Solution 238

À la fin, nous aurions chacun 12 pruneaux parce que j'en aurais autant que mon ami. En entrant dans l'appartement, nous avions ensemble 24 pruneaux.

Solution 239

Mélanie et Jasmin ont acheté ensemble 8 casques Alpha et 8 casques Bêta, soit 16 casques. Si les casques avaient le même prix, ils auraient coûté 5 renards chacun. Comme un casque de marque Alpha coûte 2 renards de moins qu'un de marque Bêta, le A coûte 1 renard de moins, et le B, 1 renard de plus que le prix trouvé. Les casques Alpha coûtent 4 renards chacun, et les Bêta, 6 renards chacun. Jasmin a dépensé 42 renards.

Solution 240

La fourmi avance de 1 mètre par jour. À la fin du neuvième jour, elle sera à 9 mètres de son point de départ. Le 10e jour, elle avance de 3 mètres. La fourmi est alors à 12 mètres de son point de départ.

SOLUTION 241

On suppose que le gilet coûte 10 écus. Dans ce cas, la chemise coûte 18 écus; le pantalon, 25 écus; la veste, 44 écus. Cela donne un total de 97 écus. On fait: 129 - 97 = 32; puis: 32 ÷ 4 = 8. On doit ajouter 8 écus à chacun des quatre montants. Le gilet coûte 18 écus; la chemise, 26 écus; le pantalon, 33 écus. La veste coûte 52 écus.

SOLUTION 242

La deuxième couronne nécessitera 22 pièces. On peut la placer ainsi:

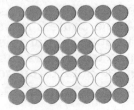

Solution 243

On fait référence aux quatre saisons. Les lapins s'appellent Automne, Hiver, Printemps et Été.

SOLUTION 244

On peut répartir les visites de huit autres façons:

	1	2	3	4	5	6	7	8
Mercredi	F	F	S	S	S	N	N	N
Jeudi	S	D	F	F	D	F	S	D
Vendredi	N	S	D	N	N	S	D	S
Samedi	D	N	N	D	F	D	F	F

Les quatre amis pourront faire leur visite pendant huit semaines.

Solution 245

Les deux trios possibles sont: (11, 17, 23) ou (13, 17, 21). Le numéro du milieu est 17. Élika demeure au 17ᵉ étage.

SOLUTION 246

On peut lire cette phrase aussi bien en partant du début que de la fin.

Solution 247

La somme doit être un nombre divisible par 3. Le plus petit nombre supérieur à 100 qui est divisible par 3 est 102. On peut, par exemple, écrire : 26 + 35 + 41 = 102. La plus petite somme possible est 102.

Solution 248

Le poids total des cubes et du toutou est de 300 grammes, ce qui donne 150 grammes par plateau. Avec le toutou, Nicole devra placer un cube de 20 grammes, ce qui fait 150 grammes. Les autres cubes qui ont un total de 150 grammes seront sur l'autre plateau.

SOLUTION 249

LES MÉDIAS NE FONT PAS LA NOUVELLE ; ILS LA TRANS-METTENT.

Solution 250

On dispose les figures ainsi :

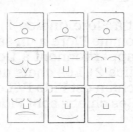

Solution 251

Les 3 noisetiers d'un côté lancent 45 noisettes aux 15 autres arbres. Pour les 4 noisetiers, ce sera 42 noisettes. Pour les 5 noisetiers, ce sera 39 noisettes. Pour les 6 noisetiers, ce sera 36 noisettes. Au total, 162 noisettes seront lancées.

Solution 252

On peut placer les hexagones de cinq autres façons :

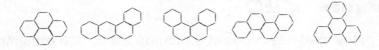

Solution 253

Le bébé qui est né à minuit tapant est né à la dernière seconde de 2009. Un seul bébé est né en 2010, soit celui qui est né à 0 h 01 min 01 s.

SOLUTION 254

Chaton II appartient à Flore (indice 1). Fido IV appartient à Flore (indice 3). Comme Flore a un seul chien, alors Fido I, Fido II et Fido III appartiennent à Denise. Chaton III appartient à Flore (indice 2). Les chats de Flore sont Chaton II et Chaton III. Son chien est Fido IV. Le chat de Denise est Chaton I (indice 2). Ses chiens sont Fido I, Fido II et Fido III.

SOLUTION 255

On peut écrire : 376 + 587 = 963.

Solution 256

NEZ.

SOLUTION 257

La somme dans chaque rangée est 20 en raison de la deuxième ligne. Sur la première ligne, il manque 6. Sur la troisième ligne, il manque deux nombres dont la somme est 12. On peut remplir la grille ainsi :

9	5	6	Ligne qui contient un 5 et un 9
10	7	3	Ligne qui contient un 3, un 7 et un 10
1	8	11	Ligne qui contient un 8

Solution 258

Le dessin d'Irma se présente ainsi :

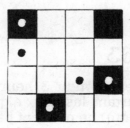

Solution 259

On peut lire GIL quatre fois, GILL huit fois. E et S n'amènent pas de nouveaux chemins. On peut lire GILLES huit fois. Gilles a huit ans.

Solution 260

Si on divise 49 par 3, on obtient 16 reste 1. Il faut donc chercher autour de 16. Par exemple, si on choisit 16, 17 et 10, la somme est 43. Les trois dates sont les 12, 18 et 19 juillet.

Solution 261

Si Étienne a 10 ans, son père a 30 ans. Il y a 5 ans, le fils aurait eu 5 ans et le père 25 ans : une somme de 30. Si Étienne a 11 ans, son père a 33 ans. Il y a 5 ans, le fils aurait eu 6 ans et le père 28 : une somme de 34 ans. La différence des sommes est de quatre ans quand Étienne vieillit d'un an. Aujourd'hui, le fils a 16 ans et Serge a 48 ans.

Solution 262

Richard place 24 tiges horizontalement, 13 verticalement et 12 en diagonale. On fait : 24 + 13 + 12 = 49. Richard utilisera 49 tiges.

Solution 263

Vous avez peut-être répondu 3 heures et 15 min ou 3 heures et quart. Pourtant, les deux aiguilles d'un réveille-matin (ou d'une montre) ne peuvent pas être superposées sur le 3. Elles sont superposées à 3 h 16 min et 21 s.

Solution 264

Le premier chiffre correspond au nombre de chiffres pairs, et le second, au nombre de chiffres impairs. Le code de 87 642 est 41.

Solution 265

Le plus grand nombre du premier triangle est 30 ; celui du second est 38. L'écart est de 8 entre les groupes de deux numéros des deux triangles.

SOLUTION 266

QUAND IL ENTRA DANS LA MAISON, IL ENTENDIT UNE RAFALE.

Solution 267

Comme E = C + D et que C + D + E = 12, E = 6. Par conséquent, C + D = 6 et B + G = 6. Les couples sont : (1, 5) et (2, 4). Il reste 3 et 7 pour A et F. Donc, C = 2, puis D = 4. On peut disposer les chiffres ainsi :

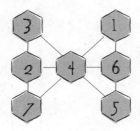

Solution 268

Le nombre qui manque est 7.

Solution 269

On place 9, 8, 7 et 6 à gauche, puis 2, 3, 4 et 5 à droite. La plus grande somme possible est 314.

SOLUTION 270

On peut compter 6 triangles constitués de 1 partie, 4 de 2 parties, 2 de 3 parties, soit en tout 12 triangles.

Solution 271

En raison de la première répartition, le nombre cherché est dans la suite 16, 29, 42, 55, 68, 81, 94, 107, 120, 133, 146, etc. En raison de la seconde répartition, le nombre cherché est dans la suite 14, 23, 32, 41, 50, 59, 68, 77, 86, 95, 104, 113, 122, 131, 140, 149, etc. Le nombre 68 coïncide dans les deux suites. Louiselle possède 68 livres.

Solution 272

Dans la grille suivante, le S indique le sommet de la croix lorsque celle-ci est verticale :

	S	S	S	
	S	S	S	

Il y a six positions dans ce cas. Par ailleurs, la croix peut être disposée dans quatre sens. On peut donc tracer 24 croix.

Solution 273

On compte les voyelles de chaque prénom. Luc a reçu un seul cœur.

SOLUTION 274

Le trésor est entre le triangle et le carré de la quatrième ligne.

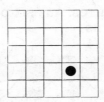

Solution 275

La somme des nombres connus est 927.
On fait : 1915 - 927 = 988 ; puis : 988 ÷ 4 = 247.
Les deux nombres sont : 247 et 741.

Solution 276

On peut passer ainsi de POULE à ŒUFS:

P	O	U	L	E
P	O	I	L	S
O	E	I	L	S
O	E	U	F	S

Solution 277

On peut disposer les cahiers ainsi:

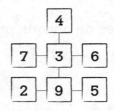

SOLUTION 278

On peut tracer huit carrés. Aux six petits carrés, on ajoute les deux carrés suivants:

Solution 279

À la fin, il y a un écart de 12 pruneaux. Il y a un écart de trois pruneaux à chaque opération. On fait: 12 ÷ 3 = 4. Joanie fait quatre opérations, ce qui donne 16 et 28 pruneaux. Joanie a ajouté huit pruneaux par boîte.

Solution 280

On peut les disposer de trois façons: (Francine, Grégoire, Hermione, Yvan), (Francine, Grégoire, Yvan, Hermione) et (Francine, Hermione, Grégoire, Yvan).

Solution 281

On cherche d'abord le nombre possible de pièces de 25 ¢, puis de 10 ¢. Le tableau suivant montre le nombre de pièces de chaque valeur:

25¢	10¢	5¢	Pièces
2	8	1	11
3	5	2	10
4	3	1	8
4	2	3	9

Louise a quatre pièces de 25 ¢, deux pièces de 10 ¢ et trois pièces de 5 ¢.

SOLUTION 282

Il y a 4 rectangles 2 × 3 dans chacune des rangées horizontales (1 et 2), (2 et 3), (3 et 4), ce qui fait 12 rectangles. Il y a 2 rectangles 2 × 3 dans chacune des rangées verticales (1, 2), (2, 3), (3, 4), (4, 5), (5, 6), ce qui fait 10 rectangles. On peut compter en tout 22 rectangles.

Solution 283

Il faut insérer une virgule.

Solution 284

Le nombre d'heures décroît d'un mois à l'autre. De janvier à février, il y a huit heures de moins; de février à mars, sept heures; de mars à avril, six heures; d'avril à mai, cinq heures; de mai à juin, quatre heures. Alphonse naviguera sur la toile pendant 26 heures en juillet.

Solution 285

Si les hexagones n'étaient pas accolés, on devrait utiliser 66 bâtons. Dans cette disposition, 20 bâtons sont comptés 2 fois. On fait: 66 - 20 = 46. Au total, Ray a utilisé 46 bâtons.

SOLUTION 286

L'égalité est: DEUX + NEUF = ONZE. Les trois chiffres sont: 2, 9 et 11. On pourrait intervertir le DEUX et le NEUF.

Solution 287

Si on intervertit d'abord les nombres de la première et de la quatrième colonne, puis ceux de la deuxième et de la troisième colonne, on obtient le carré magique suivant:

9	6	11	8
4	10	7	13
5	3	14	12
16	15	2	1

Solution 288

La boîte A contient 9 champignons; la B, 15 champignons; la C, 8 champignons; la D, 18 champignons.

Solution 289

L'égalité est: 179 + 146 = 325. L'âge du spécimen est de 325 ans.

SOLUTION 290

On peut disposer les dominos ainsi:

Ce qui donne:

	2	3	6	2
+	1	1	4	3
	3	5	0	5

Solution 291

Les quatre jeunes ont ensemble 22 paires d'espadrilles. Christian et Geneviève en ont 10 paires. Comme Christian a quatre paires d'espadrilles de plus que Geneviève, on fait: 10 + 4 = 14; puis: 14 ÷ 2 = 7. Christian a sept paires d'espadrilles, et Geneviève, trois paires.

Solution 292

Il y a neuf chemins différents.

Solution 293

Pour se rendre au centre en ligne droite, il faut parcourir
400 mètres. Si Réal continue tout droit, il devra parcourir
encore 500 mètres. Pour prendre le chemin le plus court, il
faut revenir en arrière et ainsi parcourir 300 mètres.

SOLUTION 294

Chaque cloche correspond à 2 centimètres de neige. En
multipliant le nombre de cloches par 2, on obtient la date.
Le 24 janvier, il est tombé 24 centimètres.

Solution 295

Par exemple, dans le premier mot, la première lettre est
S. P n'est pas à la bonne place. Les voyelles E et U sont
rarement devant un O. Par exemple, dans le troisième mot,
le B ne peut être que dans le rang 1. Les trois mots sont :
SOUPER, MARTIEN et BÂTONNET.

Solution 296

PUCE.

Solution 297

Les couples possibles dont un nombre est le double de
l'autre sont : (5, 10) et (6, 12). La case vide de la rangée des
A contient un 8 ou un 11. Il en est de même pour la case
vide de la rangée des B. On peut disposer les jetons ainsi :

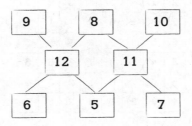

SOLUTION 298

La somme des cinq plus petits impairs est 25. La racine
carrée est 5. La somme des six plus petits impairs est 36.
La racine carrée est 6. Le nombre d'impairs et la racine
carrée de la somme sont identiques. La racine carrée de la
somme des 24 plus petits nombres impairs est 24.

Solution 299

Si A = 1, alors Y = 5, à rejeter car le V de la première
colonne serait égal à 5. A ne peut pas être égal à 2,
car Y aurait la même valeur que E. Si A = 3, Y = 7, à
rejeter car V serait égal à 3. Si A = 4, Y = 8, V = 2 et O = 1.
On a : 218 + 406 = 624. Alors VA = 24. ÉVA a fait
24 voyages.

Solution 300

On remplit la grille ainsi:

1	2	3	4	5	6	7	8
8	7	6	5	4	3	2	1
2	1	4	3	6	5	8	7
7	8	5	6	3	4	1	2
6	5	8	7	2	1	4	3
3	4	1	2	7	8	5	6
5	6	7	8	1	2	3	4
4	3	2	1	8	7	6	5

Solution 301

Comme huit bicyclettes ont été vendus, les possibilités au début sont : (11 bicyclettes, 5 tricycles), (14 bicyclettes, 3 tricycles) et (17 bicyclettes, 1 tricycle). Seule la première hypothèse convient. Il y avait 11 bicyclettes et 5 tricycles dans cemagasin lors de la première visite de Charlotte.

Solution 302

Dans chacune des 6 rangées horizontales, on compte 5 boums, ce qui fait 30 boums. Dans chacune des 5 rangées verticales, on compte 6 boums, ce qui fait 30 boums. On peut compter 60 boums dans une grille 6 × 6.

Solution 303

On suppose que, parmi les 200 premiers votants, 100 ont voté pour le candidat A, et 100, pour le B. Quand Midas est arrivé, il a voté pour le B. Aussi, B a gagné par une voix. Si Midas avait tenu sa promesse, le candidat A aurait eu 101 voix, et le B, 100 voix. Le président d'élections n'aurait pas eu à voter, car le candidat A aurait gagné par une voix.

SOLUTION 304

Ponka a la plus longue trompe.

Solution 305

Si on ne soustrayait pas 10, les deux derniers chiffres de chaque résultat seraient 21. Le carré de 11 111 111 est 123 456 787 654 321.

Solution 306

La grille suivante donne un score de 36 points:

SOLUTION 307

On commence par placer 12 au centre. On peut disposer les nombres ainsi:

8	2	6
14	12	10
18	22	16

Solution 308

On fait: 308 - 208 = 100. On divise 100 par 7. Le résultat est 14 reste 2. On avance de deux jours. Nous sommes un mardi.

Solution 309

La seule rangée de deux balles contient 6 et 9, car 7 apparaît ailleurs. Le 9 doit être à gauche du 6. On peut disposer les balles ainsi:

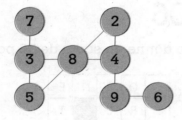

Solution 310

Pour illustrer le chemin, on attribue une lettre à chaque étoile:

A		F	I	K
B	D	G	J	L
C	E	H		M

On peut suivre ce chemin: CBA, ADH, HGF, FJM, MLK, KJH, HEC, CDF, FIK.

SOLUTION 311

La grille est numérotée pour indiquer les déplacements. On déplace le mouton noir de 1 vers 3, le même mouton vers 9, le rouge de 2 vers 10, le blanc de 6 vers 14, le rouge de 15 vers 7, le noir de 16 vers 6.

1	2	3	4
5	6	7	8
9	10	11	12
13	14	15	16

Solution 312

On peut placer les carrés de trois autres façons:

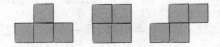

Solution 313

On attribue une lettre à chaque cercle.

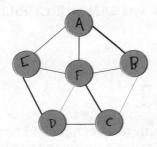

On peut déplacer les jetons ainsi: 5 en F, 4 en C, 5 en D, 1 en F, 4 en B, 5 en C, 1 en D.

Solution 314

Sandra prend sept pommes dans le sac C. Elle les met dans le B qui contient maintenant 14 pommes, soit le double d'avant. Elle prend six pommes dans le sac B et les met dans le C. Elle prend quatre pommes dans le sac C et les met dans le A. Le tableau suivant montre chacune des opérations :

		1re	2^e	3^e
A	4	4	4	8
B	7	14	8	8
C	13	6	12	8

SOLUTION 315

D'une ligne à l'autre, la différence des premiers termes de chaque rangée est : 0, 1, 2, 3, 4. En continuant, on aura successivement : 11 + 5 = 16 ; 16 + 6 = 22 ; 22 + 7 = 29 ; 29 + 8 = 37 ; 37 + 9 = 46 ; 46 + 10 = 56. Comme la 11e ligne a 11 nombres, le milieu est le 6e nombre. Le nombre cherché est 51.

Solution 316

LE POÈTE EST UN PAYSAN QUI CUEILLE SES FLEURS À L'AUTOMNE.

Solution 317

Dans la première rangée verticale, la somme est 9, soit un déficit de 4. Dans l'autre rangée verticale, la somme est 12, soit un déficit de 1. Dans la rangée horizontale, la somme est 17, soit un surplus de 4. On peut intervertir le 5 et le 4, puis le 3 et le 8.

Solution 318

On peut obtenir trois petits carrés ainsi:

SOLUTION 319

Comme la somme est divisible par 3, il y a trois sommes possibles: 1269, 1569 ou 1869. Or, aucune lettre ne peut valoir 5 ou 8. L'égalité est donc: 423 + 423 + 423 = 1269. Le triple de RUE est 1269.

Solution 320

Le total des points est 49. Comme la somme est 14 sur chaque côté du carré, on fait: 14 × 4 = 56. Or, 56 - 49 = 7. Le total des points des quatre coins doit être 7. On doit y placer un demi-domino 1 et un autre demi-domino 2. On peut disposer les dominos ainsi:

Solution 321

Claude a gagné (nombre de jours × nombre d'heures par jour × 6 pistoles) + (21 jours × nombre d'heures par jour × nombre de pistoles). La première partie est divisible par 3 en raison du 6; la seconde l'est aussi en raison du 21. La somme est divisible par 3. Donc, le montant total gagné peut être partagé également entre trois personnes.

Solution 322

Pour relier un premier ballon, on peut utiliser cinq cordes; pour un deuxième, quatre cordes; pour un troisième, trois cordes; pour un quatrième, deux cordes; pour un cinquième, une corde. Marielle peut utiliser 15 cordes.

SOLUTION 323

Yvette devrait dire: «Je vais m'y faire.» Elle dit plutôt: «M'a m'y faire.»

Solution 324

On commence par les sièges 09 et 10. Si 09 ment, alors 10 dit vrai et il y aurait deux voleurs. Par conséquent, 09 dit vrai et 10 ment. On continue ainsi:

03 ment et 04 dit vrai.
07 dit vrai et 08 ment.
01 ment et 02 dit vrai.
11 dit vrai et 12 ment.
05 ment et 06 dit vrai.

Le voleur est le 06.

Solution 325

On remplit la grille ainsi:

	A	B	C	D	E	F
A	1	6	9	■	5	6
B	2	4	0	■	4	6
C	3	0	0	1	■	6
D	4	■	■	2	4	6
E	■	8	4	2	1	■
F	9	1	8	2	6	4

Solution 326

VÉGÉTARIEN (V/G/TA/RIEN).

Solution 327

Puisque le 10 est déjà placé, il reste une seule combinaison de deux nombres (5, 8) possible quand la somme est 13. Les combinaisons de trois nombres sont: (1, 2, 10), (1, 4, 8), (2, 3, 8), (2, 5, 6) et (3, 4, 6). On peut placer les nombres ainsi :

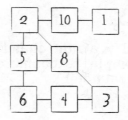

SOLUTION 328

Sur le visage de Pico T, on peut voir de l'acné (lac nez).

Solution 329

Quand on multiplie R par 3, la seule valeur possible de R est 5. La retenue au-dessus de la colonne des dizaines est 1. Comme N = 1, alors E = 2 et F = 7. FER correspond à 725.

Solution 330

On place 14 au centre. Dans la première rangée horizontale, il manque 32. Les deux cercles vides doivent contenir
15 et 17. Dans la troisième rangée horizontale, il manque
24. Les deux cercles vides doivent recevoir 11 et 13. On
peut disposer les jetons ainsi :

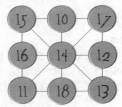

SOLUTION 331

Entre 505 et 514, il y a huit chambres, soit quatre de
chaque côté. On compte 18 chambres par étage. Il y a
180 chambres dans cet hôtel.

Solution 332

La distance entre deux piquets voisins est la même
qu'entre un piquet et l'arbre, soit 4 mètres. Le fil mesure
24 mètres. La mouche a parcouru 12 mètres.

SOLUTION 333

BLANCHE. De l'expression « donner carte blanche ».

Solution 334

Marie-Hélène a gagné la première partie, car Estelle a gagné seulement la troisième partie. Marie-Hélène a gagné la
quatrième partie. Elle ne peut pas avoir gagné la cinquième
partie. C'est Sabrina qui a gagné la cinquième partie.

Solution 335

Pour lister les triangles, on attribue un nombre à chaque partie de la figure.

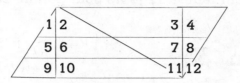

On peut compter 18 triangles :

1 partie	1	2	11	12		
2 parties	1, 2	1, 5	2, 6	7, 11	8, 12	11, 12
3 parties	1, 5, 9	2, 6, 10	3, 7, 11	4, 8, 12		
4 parties	1, 2 ,5, 6	7, 8 ,11, 12				
6 parties	1, 2, 5, 6, 9, 10	3, 4, 7, 8, 11, 12				

SOLUTION 336

On retrouve les sons de la première syllabe des jours de la semaine dans l'ordre : DIM, LUN, MAR, MER, JEU, VEN, SAM.

Solution 337

Les combinaisons de trois trapèzes dont la somme est 16 sont : (1, 5, 10), (2, 4, 10), (2, 6, 8) et (3, 5, 8). On peut disposer les trapèzes ainsi :

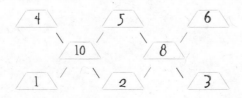

SOLUTION 338

En 12 jours, la poule de Bruno pond 6 œufs, celle de Josée, 8 œufs, et celle de Sylvie, 9 œufs, ce qui donne un total de 23 œufs. Il leur faudra 12 jours pour pondre 23 œufs.

Solution 339

On peut écrire les chiffres donnés ainsi :

	O		H
U	N		U
	Z		I
S	E	P	T

Solution 340

Chaque droite horizontale de la grille a six zooms. La grille est formée de 7 droites horizontales, ce qui donne 42 zooms. Chaque droite verticale a six zooms. La grille est formée de 7 droites verticales, ce qui donne 42 zooms. Il y a 84 zooms dans une grille 6 × 6.

SOLUTION 341

Après chaque don, le nombre de pommes est successivement 9, 16, 21, 24, 25, 24, 21, 16, 9, 0. La réserve sera épuisée le 10ᵉ jour, soit un dimanche.

Solution 342

On prend les deux triangles d'une extrémité. On les place au-dessus des deux petits carrés ainsi :

SOLUTION 343

La différence du nombre de pêches est 4. La somme du nombre de florins est 20. On fait : 20 ÷ 4 = 5. Chaque pêche coûte 5 florins.

Solution 344

On peut relier les fontaines à boisson gazeuse aux distributrices ainsi :

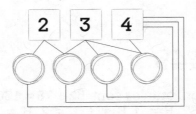

Solution 345

On essaie successivement les signes +, - et × entre 2 et 3 ; puis entre 5 et 6. Une égalité est : 2 × 3 × 4 = 5 × 6 - 6.

SOLUTION 346

PERROQUET (père / rot / quet).

Solution 347

On suppose qu'Angélie plante sept fleurs dans le pot central du haut. Elle plantera huit fleurs dans celui de droite, trois dans celui du bas et cinq dans celui de gauche. Le total est 23. Quand on fait d'autres essais, on aboutit toujours au même résultat. Angélie devra planter 23 fleurs.

Solution 348

Le seul nombre de deux chiffres qui est divisible par sept nombres d'un chiffre est 72. En effet, 72 est divisible par 1, 2, 3, 4, 6, 8 et 9. On fait : 72 + 7 = 79. Lucien a 79 timbres d'Espagne.

Solution 349

Les additions horizontales sont : 52 + 78 = 130 ; 64 + 93 = 157 ; 116 + 171 = 287. E = 0, R = 1, L = 2, H = 3, A = 4, C = 5, M = 6, U = 7, O = 8 et T = 9. RÉCRÉOMATH correspond à 1 051 086 493. La somme des chiffres est 37.

SOLUTION 350

Les huit cases marquées d'une couleur doivent contenir
(1, 16), (2, 15), (4, 13) et (7, 10). Sur la première ligne, il
manque 8, soit (1, 7). Le 7 ne peut pas être dans le coin
supérieur gauche. Si tel était le cas, la case inférieure
gauche contiendrait 3, ce qui est impossible. Rangée par
rangée, on remplit la grille ainsi :

1	12	7	14
8	13	2	11
10	3	16	5
15	6	9	4

Solution 351

Le nombre total de billots est : 21 × 21 = 7 × 3 × 7 × 3.
On fait 9 piles de 49 billots ou bien 49 piles de 9 billots.
Comme Généreux doit faire le moins de piles possible, le
partage est de 9 piles de 49 billots.

SOLUTION 352

On doit enlever un seul bâton :

Solution 353

Ce nombre est 82 (QUATRE-VINGT-DEUX : 15 lettres).

Solution 354

Jérémie a obtenu neuf votes de plus qu'Alain (indices 1 et 2) et six votes de plus qu'Isabelle (indices 1 et 3). Caroline a eu plus de votes que Jérémie (indice 4). Jérémie a eu 21 votes ; Caroline, 33 votes ; Alain, 12 votes ; Isabelle, 15 votes. C'est Caroline qui a gagné l'élection.

SOLUTION 355

On place le 8 à l'intersection de C et de H, le 9 à l'intersection de B et de E, etc. On remplit la grille ainsi :

	E	F	G	H
A	3	6	2	1
B	9	0	6	4
C	5	7	1	8
D	2	3	7	4

Solution 356

Les mots SAPIN, LAPIN, LATIN, MATIN se suivent. Une lettre a été changée d'un mot à l'autre. Le prochain mot est MARIN. Le lapin à la casquette est marin.

SOLUTION 357

Quand Enrico dessine 2 personnages, Floriane en dessine 3, Gratien, 4, et Hermione, 5, ce qui fait 14 personnages. On fait : 70 ÷ 14 = 5. On multiplie le nombre de chacun par 5. Enrico a dessiné 10 personnages ; Floriane, 15 ; Gratien, 20 et Hermione, 25.

Solution 358

On suppose que Dalia a gagné 10 $. Elle a donné 6 $ et il lui reste 4 $. Comme elle a donné 6 $, il doit lui rester 3 $, soit la moitié de ce qu'elle a donné. Dalia peut dépenser encore 1 $, soit 1 $ sur 10 $. Dalia peut encore dépenser un dixième de sa paie.

Solution 359

Sur la deuxième rangée horizontale, on a deux chemins; sur la troisième, quatre chemins; sur la quatrième, six chemins; sur la cinquième, six chemins de plus. En tout, la mouche peut suivre 12 chemins.

SOLUTION 360

On peut partager le parc ainsi:

4 X 4	4 X 4	4 X 4
5 X 3	5 X 3	5 X 3	5 X 3

Solution 361

Dans la première colonne des variables, on trouve que F = 9 et A = 7. Dans la troisième colonne, on trouve que C = 13 et D = 11. Il n'est pas nécessaire de trouver la valeur de B. Les nombres qui manquent sont : 9, 10, 13 et 15.

Solution 362

Au lieu de tracer les croix, on écrit un C pour marquer le centre d'une croix.

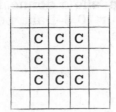

Dans une grille 5 × 5, Gino peut tracer neuf croix.

SOLUTION 363

On remplit la grille ainsi :

	1	2	3	4	5	6	7	8
1	A	S	S	I	E	T	T	E
2	C	O	U	R	T	I	E	R
3	A	N		E	R	E		E
4	D	A	N	S	E	R	A	
5	E	T	E			S	E	S
6	M	E	R	D	E		R	I
7	I		O	U	R	S	E	S
8	E	R	N	E	S	T		E

Solution 364

Dans la deuxième figure, l'ajout d'une droite par rapport à la première augmente de 2 le nombre de parties. Dans la troisième figure, l'ajout d'une droite par rapport à la deuxième augmente de 3 le nombre de parties. Dans une quatrième figure, l'ajout d'une droite par rapport à la troisième augmenterait de 4 le nombre de parties. Au maximum, Marielle pourrait réaliser 11 parties.

Solution 365

Le 8 août était un dimanche. Il y a un écart de 145 jours,
soit 20 semaines et 5 jours. On avance de cinq jours.
Le dernier jour de l'année est un vendredi.

L'utilisation de 4 188 lb de SILVA SCOLAIRE 94M plutôt que du papier vierge aide l'environnement des façons suivantes :

Arbres sauvés : 36
Réduit la quantité d'eau utilisée de 97 061 L
Réduit les émissions atmosphériques de 2 253 kg
Réduit la production de déchets solides de 1 026 kg

C'est l'équivalent de :
Arbre(s) : 0,7 terrain(s) de football américain
Eau : douche de 4,5 jour(s)
Émissions atmosphériques : émissions de 0,5 voiture(s) par année

MARQUIS

Marquis imprimeur inc.

Québec, Canada

2010